DEIREADH AN FHOGHAIR

DEIREADH AN FHOGHAIR

Tormod Caimbeul

CHAMBERS

Air fhoillseachadh le U & R Chambers 1979

Air a chlò-bhualadh am Breatainn
le MacGillemhoire & Gibb Teo, Dun Eideann

LAGE (ISBN) 0 550 21401 1

Chuidich an Comunn Leabhraichean Gàidhlig
am foillsichear gus an leabhar seo a chur an clò.

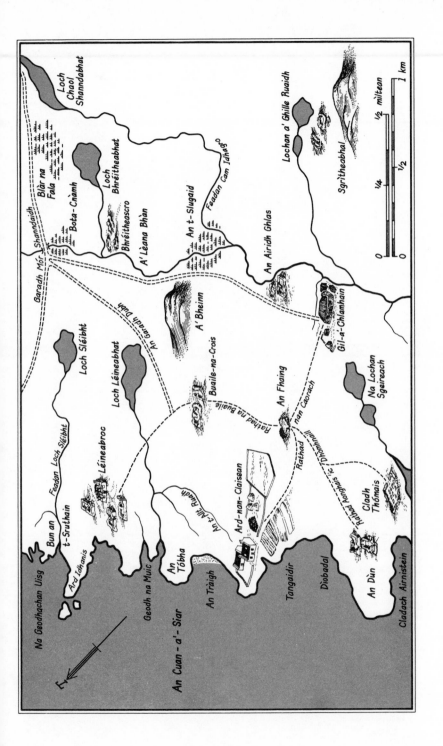

1

Bha esan leis fhéin, mar a b'àbhaist, aig an tocasaid. Tocasaid a bha ann bho linn crochadh nan con; a shiubhail cuantan uair dha robh i, 's a bhuail cladach aig Geodh'-na-Muic. Sin far an d'fhuair a shean-shean-shean-sheanair i, tràth 'sa mhaduinn. Thuirt athair ris gun duirt a sheanair gun duirt athair gur e athair-san a thuirt gur e athair-fhéin a fhuair i: Slàn, sàbhailt, aig Geodh'-na-Muic. 'S chan fhacas a samhail 'san àit ud a riamh. 'S cha b'e bhreug a bh'aig na seanairean (neo eadhon aig na sean-seanairean) oir bha esan a nis leis-fhéin a' coimhead innte. Bha e faireachdainn a cruas fo làmhan 's bha chridhe làn aoibhneas.

B'fhiach i bàrdachd; òran mór, cruinn. Ach cha robh bàrdachd a's an fhuil — a's an eanchainn — a's an ilmeag. Cha robh spiorad iongantach na bàrdachd ann an duine bhuineadh dha; agus ma bha, cha do leig 'ad càil orra. Bu chaoimh leis, an deidh sin, òran a dhèanamh dhith — òran ceòlmhor cruinn. Agus, gu dearbha, có b'urrainn innse – co-aige bha fios? — nach aithnicheadh e, air latha buidhe Bealltainn, a' spiorad cheudna seo ag èaladh an aiteigin — 'na mhaodal, 'na sgòrnan, 'na choinnlean taisgeil? Spiorad an t-salmadair! Spiorad an duanaire! 'S bhiodh cop ri bhus, 's e faicinn tocasaid mhór nan car-a-mhuiltein a' rolaigeadh a dh'ionnsaigh Geodh'-na-Muic. Bhruidhneadh e air na putan a phut i, na tonnan a sgolt i — agus bhruidhneadh e air pluicean a shean-shean-shean-seanair. Sin uireas. Tocasaid, agus cuan, agus seanair a' slaodadh. Oran gun lochd. Oran a sgàineadh do chridhe.

Thog e cheann. Cha b'fhada nis gu maduinn. Bha 'n

àird an Ear glas, fuar, 's an dorchadas a' teich air falbh. 'Se 'n dorchadas a bh'ann an toiseach gu-tà. An toiseach cha robh ann ach dorchadas, agus thuirt Dia: 'Biodh solus ann'; agus seach nach eil càil do-dhèanta dha Dia, feuch! solus, feuch! maduinn, feuch! duine, feuch! tocasaid.

Shaoil leis nach robh beò ach e-fhéin. Bha gach uile chreutair a ghluaiseas a réir a ghné, gach steàrnag is leóbag, gach cuileag is crosgag, a réir an gné, marbh leis a' chadal. Bha na bailtean gun smid, mìltean air falbh; aodainn air cluasagan, ordagan mór fo phlaideachan.

An còmhnaidh ann an tighinn a' latha cha robh beò ach esan — Coinneach Meadhonach, mac Choinnich Mhóir, mac Alasdair, mac Choinnich, mac Choinnich, mac Alasdair. 'Se Alasdair a b'ainm dha fear treun na tocasaid — Alasdair Caol na Tocasaid. Coinneach Meadhonach a chanadh 'ad rise-san, Coinneach Mór ri athair, agus Coinneach Beag ri bhràthair beag. Cha robh sgeul orra nis — thug greim-mionaich bàs dha athair bho chionn còrr is dà fhichead bliadhna, agus dh'fhalbh Coinneach Beag a dh'Africa an ath gheamhradh — geamhradh nan clachan-meallain. Bha aona phiuthar aige — Barabal — pòsd a's a' Bhaile Mhór. Bhiodh i cuir slabaid de chéic thuige a chula Bliadhn Ur ... Barabal, nighean Chatriona, nighean Dhomhnaill a' Chladaich ... cha b'urrainn dha dhol na b'fhaide air ais taobh a mhàthair. Dh'fhalbh ise cuideachd — am boireannach deatamach a rug 's a thog e. 'S cha robh air fhàgail ach e-fhéin, 'na aonar, a' coimhead dha'n àird an Ear.

'Na aonar? Cha robh sin buileach ceart. Bha dà mhart aige, cù molach ruadh (Teàrlach), caoraich agus cearcan. Agus bhiodh e seanchas riutha a chula latha, 's bhiodh iadsan a' nochdadh urram dha, ag éisdeachd gu furachail ris gach focal. Cha robh sin idir 'na aobhar iongantais. Bha bothag aig na cearcan cho seasgair 's a chunnaic cearc a riamh; bha pàirc aig na caoraich nach spiulladh 'ad gu bràth (gun iormadh air mòinteach agus cladach làn feamainn); bha 'n dà mhart — man dà bhànrigh'nn — ann am bàthach ùr, bàthach àrd,

bàthach a bha air a bhith 'na toileachas-inntinn dha
Phàro ri linn na gort. Agus bha Teàrlach maille ris a
ghnàth — a dheagh chompanach air slighean cugallach
an t-saoghail, a charaid 'sa' chùirt 's a chùl-taice. Cha
shleamhnaicheadh a cheum, 's cha bhiodh feagal no
fiamh air, fhad's a bhiodh Teàrlach le shròin 's le spògan
còmhla ris.

Ach a bharrachd air na creutairean neochiontach sin
bha duine — a chruthaich Dia 'na iomhaigh fhéin — ag
còmhnaidh ann an gleann dà mhìle bho'n tigh aige.
Duine beag dearg a bha seo; duine beag dòigheil;
sgudalair.

Bho'n uair a dh'fhosgail a shùilean 's a chunnaic 'ad
mìorbhuilean a' chruthachaidh, bha cruth agus cumadh
agus clàr-aodainn a' Sgudalair a' tighinn mu'n
coinneamh. Ailean, mac Ruairidh-na-speuclanan, mac
Ailein ... b'e sin a' Sgudalair. Chaidh am baisteadh air an
aon latha ann an eaglais mhór MhicDhùghaill, agus bha
aig Ruairidh-na-speuclanan ri seasamh agus maitheanas
iarraidh air MacDhùghaill, agus air Dia, seach gu robh e
mì-mhodhal agus ro chabhagach le Goromal Sheonaidh
Duibh ann a' sìg-chorc Choinnich Mhóir. Agus a réir
beul-aithris, cha chualas samhail glaodhaich na cloinne
ud a riamh — aon man uircean, 's a' fear eile man
bioran, glan ás an ciall a' sgriachail ann an tigh Dhé. Bha
sud 'na chomharr — O, gun teagamh, bha sud 'na
chomharr ... air rudeigin. ... eagallach ... 'oir is mise an
Tighearna do Dhia, is Dia eudmhor mi, a' leantainn
aingidheachd nan athraichean air a' chloinne ...'.

Bha speuclanan air a' Sgudalair cuideachd.

Thòisich e ag cròchail 's a' cas'daich 's a' sùghadh a
shròin — a' glanadh nan tollan, mar a chanadh
Domhnall a' Chladaich — agus thilg e smugaid a thuit
'na steall gu làr. Fras salachair; gaorr a chruithnich
troimh'n oidhche ann am pìoban neònach eadar a
sgamhanan 's a choinnleanan. B'fheàrrda duine smugaid
mhath a' cheud rud a's a' mhaduinn. Cha robh e creidse
gun d' rinn a' Sgudalair moch-eiridh 'na shaoghal —
dh'fheumadh gaillionn nan gaillionn a bhi ann mas

caraicheadh a' laoch ud 's e cho cruinn ri tocasaid ann an cùl na leap.

Bha Nellie 'na cul-taice dhàsan. Ge b'oil le asnaichean Adhamh — 's gu h-àraid an asann air nach robh e cuir feum — bha 'm boireannach seo 'na cnàimh-droma mar an ceudna. Cha robh fios aig air sinnsearachd Nellie 's cha robh sin gu deifir ... bha i ann, bha i ann bho chionn fhada. 'S bhiodh cuimhn aige gu suthain sìorruidh air a' cheud uair a chunnaic e i — bascaid air a gàirdean 's a' Sgudalair air a' ghàirdean eile, feasgar fuar geamhraidh ann am baile dubh na smùid. Cha do chaill i a bòidhchead a dh'aindeoin nam bliadhnachan, 's cha do chaill i a cùrs a dh'aindeoin siantan agus Sgudalair. Bha i ann fhathast, a' coimhead a' ghlinn 's a' lìonadh a com le tea. Cha robh, cha robh e idir 'na aonar a's an àit iomallach ud.

Chanadh na seann daoine Ard-nan-Claisean ris, ach an deidh saothrachadh agus strì cha robh lorg air na claisean sin an diugh. Bha 'n talamh còmhnard, torach, agus chunnaic Coinneach Mór agus Coinneach Meadhonach gu robh e math 's nach robh móran nithean a's a chruinne-cé cho feumail ri spaid. Chanadh 'ad Gil-a'-Chlamhain ris a' ghleann 's an robh Nellie agus a' Sgudalair. Bha cearcan-fraoich agus smeòraich agus topagan agus feadagan agus druidean-dubha agus faoileagan a's a' ghleann; bha cuileagan is meanbh-chuileagan, seilcheagan agus damhain-allaidh agus greumairean agus tarbhain'athrach a's a' ghleann; bha tobht àiridh Ailein Ruairidh ann, agus dà thobair, agus boglaichean. Uair is uair chunnaic e 'n iolair a' seòladh seachad, 's bhiodh an corra-ghritheach glé thric a' meòireachadh ann. Ach chan fhac e riamh an clamhan. Thréig an clamhan 'ad. Thriall e.

Bha amharus aige gun dh'fhalbh an clamhan seach nach robh closaichean cho pailt 's a b'àbhais dhaibh a bhith. Cha robh aig a' Sgudalair ach dà chaora agus aon mult (cóig-bhliadhnach), agus bha iad sin daonnan an cois a' Sgudalair, ag coimhead rise-san airson furtachd agus neart. Bha caoraich gu leòir aige fhéin — caoraich

cheann-dubh, caoraich mhaol, caora le aon adhairc,
muilt is òisgean, rùda agus reith agus sagart — ach bha e
gléidheadh sùil gheur orra, sùil bhiorach, ghorm. Bha
amharus aige ma-tha gun dh'fhàs an clamhan diùmach
agus sgìth, 's gun duirt e ris fhéin: Tigh na galla, tha mi
falbh, tha mi siubhal. Agus gun d' rinn e dìreach sin, a'
maoidhinn air a chomh-chreutair gun a dhol a ghaoth a'
ghlinn ud far nach robh dad ach doilgheas agus acras
agus bròn.

  Cha robh 'n t-acras air duin aca. Chaidh dùsgadh
roinn de'n talamh airson buntàt agus snéapan, càl is
curranan; bha baraillean a' brùchdadh le feòil shaillt
bliadhna 'n deidh bliadhna; agus bha 'n fhairge loma-
làn de gach seòrsa iasg — rionnaich, saidheanan,
cudaigean … gu h-àraid cudaigean … sabhs agus
cudaigean agus buntàta … am buntàta co-dhiùbh, feòil
shaillt agus brochan corc … brochan brìghmhor a'
gheamhraidh, a' cuir blàths 'nam mionach agus
spionnadh 'nan cnàmhan. Cóig mìle deug bho Ghil-a-
Chlamhain — tarsuinn mòinteach bhrist — bha baile;
baile le ballachan glas, uinneagan, similearan agus
sràidean cruaidhe. Bha bùithean a's a' bhaile: bùth
bhonaidean is bhrògan tacaideach; bùth bhrioscaidean-
milis agus orainsearan agus tofaidhean-bó; bùth éisg,
bùth feòla, agus bùth-arain. Gheibheadh 'ad tombac
agus uisge-beatha a's a' bhaile seo, agus brioscaidean-
milis dha Nellie aig a' Bhliadhn Ur. Cha robh feagal
dhaibh — bha 'n copanan a' cuir thairis, 's bha gach
broinn sàsuichte.

  Cha b'ann ach ainneamh a bhiodh 'ad a' tadhal a'
bhaile — cha robh Nellie na b'fhaisg air na deich mìle
bho chionn ochd bliadhna. Bhiodh e fhéin 's a' Sgudalair
'ga ruighinn an dràsd 's a rithist, ag coiseachd gu
faiceallach troimh shràidean, 's gu faiceallach a'
ceannachd rudan, air a socair, mì-shaoirsinneil, gus an
tilleadh 'ad dhachaidh — an dachaidh a bha na b'aoisde
na na bruthaichean. Dh'innis duine le croit dha mu
dheidhinn aois Ard-nan-Claisean … duine meanbh le
làmhan geal, a dh'éirich an àird ás na creagan feasgar

samhraidh. Dh'innis an duine foghlumaicht seo dhà gu
robh na creagan ud cho aosd ri creag a bha 'san
rìoghachd; bha iad anabarrach aosd, na b'aoisde na na
bruthaichean, agus bha e toilichte, uamhasach toilichte,
gum faca e iad. Chan fhaca esan an duine foghlumaicht
tuilleadh, agus bha e duilich air dòigh gun dh'fhalbh e
cho aithghearr ... bu chaomh leis e, bu chaomh leis a
chòmhradh. ... 'nan tigeadh e rithist bheireadh e
cuireadh dha gu biadh — iasg agus buntàta — agus
bhruidhneadh 'ad air creagan is deighean is cruthan is
cruthaidheachd ... bhruidhneadh gu dearbha.

Rinn e miaran, 's leig e brùc. ... maduinn eile,
maduinn deireadh foghair, 's bha obair aige ri
dhèanamh. Chaidh e steach dhan a' bhàthach,
dh'fhosgail e bhriogais, 's chrùb e os cionn na h-eisir.
Thug a bhó ruadh sùil air agus thug a' bhó bhreac sùil air
— rinn 'ad gnùsdaich chàirdeil.

"Air ar socair," thuirt an duine. "Foighidean,
foighidean. Bha Iob air a chiùrradh aig niosgaidean agus
sgreaban agus at, ach fhuair e faochadh. ... faochadh ...
air do shocair, a nis ... gabh do thìde ... cuimhnich
rudan ... Coinneach Beag; Barabal a' deasachadh céic ...
bha Coinneach Beag col'ach rium-sa, feagal air ...
roimh tàislich is gnogadh — an gadaich 'san oidhch —
's cha dàinig fear-coimhead Israel le comhfhurtachd,
ach le tàirneanaich is dealanaich is clachan-meallain ...
's dh'fhalbh e dh'Africa ... le stocainnean cloimh agus
léintean glan, paisgte ... agus an Tiomnadh Nuadh ... 's
bha sinne uile a's an dorus, 'na choimhead le mhàileid
... a' falbh a dh'Africa ... air do shocair ... do shocair ...
cuimhnich air an oidhch ud ... na néimhean, 's a'
ghaoth a' séideadh. ... 's cho aognaidh 's a bha sgread
na faoileig a's na creagan ... is Dia eudmhor mi ... Dia
feargach ... agus bha mo mhàthair air a glùinean a'
guidhe ris tròcair a dheanamh air Coinneach Beag ...
Barabal a' gal ... 's a' ghaoth ... a' ghaoth ... Sin thu
... sin thu ... ha!" Fhuair e sop feòir agus ghlan e 'n toll
mu-dheireadh. Thug a' bhó bhreac sùil air agus thug
a' bhó ruadh sùil air — rinn 'ad gnùsdaich chridheil.

Bha obair aige ri dhèanamh — bracoisd, bracoisd an toiseach mas cailleadh e lùths … Choisich e null chun an taigh, a' cumail a dhruim dìreach 's a cheann an àirde. Bha 'n tigh ro mhór, fada ro mhór. Bha 'n tigh na bu mhotha na seana eaglais MhicDhùghaill agus na bu mhotha na bùth nam bonaidean anns a' bhaile — cha robh togalach anns a' bhaile uidhir ris an tigh. Chaidh leacan aosd a' chladaich dha na ballachan, sligean agus crèadh — obair Dhomhnaill a' Chladaich, a sheanair, athair a' mhàthair, an clachair urramach, ionmholta. B'ann dha Alasdair, athair athair, a thog Domhnall a' Chladaich an tigh. Roimh'n a sin bha na sean-seanairean ann an tigh-dubh, agus bha 'n tocasaid ann bho thùs. Bhiodh 'ad a' gléidheadh a' maistir — mùn na cloimh, mùn priseil na clò — a's an tocasaid, ach cha do chuir an tocasaid an dàrna h-umhail — bha i cho fallain 's a bha i riamh. Agus bha mullach an taigh air a dhèanamh de fhiodh a bha cheart cho fallain ri sin — fiodh trom, a sguab an fhairge gu tìr; fiodh nach do tholl cnuimh 's nach do bhlais raodan. Agus an uair a bha 'n obair crìochnaichte, thàinig daoine bho gach àird gus am faiceadh iad an aitreabh mhìorbhuileach seo, agus lìonadh iad le iongantas thar tomhais. O, bha na seanairean moiteil. …

"Mo charraig is mo dhaingneach," thuirt an duine; phrioc Teàrlach a chluasan agus chrath e earball. Bha fios aige gu robh biadh ann a' rùn a mhaighstir agus dh'fhàs e roilleach a' smaoineachadh air feòil. Thog an duine an teine, ghoil e bùrn, 's rinn e tea. Bha asaid le feòil fhuar air bòrd an dreasair, aran corc, aran corc-is-flùr, ìm, gruth is bàrr, agus bainne gort. Theann e ag ith, clab aig a bheul a' spiulladh na feòla, a' pronnadh an arain, agus bha Teàrlach cuideachd 'na mhàl a' slugadh 's a' bòcadh. Dà ghlamaiseire. Mu-dheiridh rinn e troibhle mhór le ìm is gruth is bàrr dha'n dithis aca, lìon e muga le tea làidir dhubh dha-fhéin agus shuidh e aig ceann a' bhùird.

"Trobhad, a bhalaich," thuirt e ris a' chù, eadar strùpalais agus cagnadh. "Trobhad gus an innis mi dhut … mu dheidhinn … mu dheidhinn Dhomhnaill

a' Chladaich." Laigh an cù sios aig a chasan. Bha na
h-eòin a' bìogail a-muigh; bha a' saoghal a' cuir car eile.
"Mo sheanair," thuirt e ris a' mhuga tea. "Mo
sheanair, athair Chatrìona, ise dh'altrum sinn. Bha
feusag air, feusag gheal, agus chitheadh tu far na stad am
buidheagan innte. 'S bhiodh sin a' toirt gòmadaich air a'
Sgudalair; bhiodh a' Sgudalair bochd a' dìobhart. Agus
h-abair thusa gu robh mise pròiseal an uairsin — mi-fhìn
's mo stamag. Co-dhiùbh ... co-dhiùbh bha Domhnall
a' Chladaich — mo sheanair — athair mo mhàthair —
bha mo sheanair-sa déidheil air maorach: faochagan,
feusgain, bàirnich ... agus déidheil air crùbagan ... agus
sìolagan. Cha robh e togail a chinn ás a' chladach. Latha
's deidh latha, bliadhna 'n deidh bliadhna, 'na chrùban
a's na creagan ... 'na fhallus leis a' chorran, a' sgoltadh
na gainmhich airson shìolagan. Duine garbh ... clachair
ainmeil. 'S cha robh mi-fhìn no a' Sgudalair ag iarraidh
duine bha beò ach esan ... bodach le feusag gheal, agus
riamhagan buidhe innte far na stad an t-ugh. Bhiodh e 'g
ìnnse dhuinn mu dheidhinn mac talla nan creag agus
mucan-mara agus daoine naomh agus crodhanan an
t-Sàtuinn. Ach co-dhiùbh. ... 'sann ag ithe shìolagan a bha
sinn, sabhs agus sìolagan — mi-fhìn 's a' Sgudalair agus
Domhnall a' Chladaich — 's cha robh e 'g radh dùrd, cha
robh e fiù's ag ith ach 'na shuidhe dìreach, le shùilean
dùint. Agus bha dùil againne gur ann a' smaoineachadh
air seanchas a bha e ... seanchas ùr, annasach, mu
dheidhinn samhla no solus no uilebhéist ... ach cha
b'ann ... thuit e le clab an comhair a' chùil, 's cha robh
cuimhn air crùbagan an uairsin ... air bàirnich ...
feusgain ... bàirnich ..."
  Cha robh beò ach e-fhéin, gun stiall aodaich, a's
a' chladach. Bha na creagan sleamhainn, dubh gun
mhaorach gun fheamainn; bha 'n cuan geal, lainnireach,
gun ghluasad — cha robh càil a' gluasad, cha robh càil
ann ... ach e-fhéin, gun stiall aodaich. Chuir e chorrag
'na bheul airson a fliuchadh, gus am faiceadh e an robh
deò gaoith ann — ach bha bheul tioram, air seacadh.
Agus bha feagal air — feagal gun tigeadh cuideigin a

dhèanadh fanaid air, gun tigeadh daoine a chitheadh
lomanach e. Dh'fhosgail e a' sgian agus rinn e gearradh
domhain air caol a' dhùrn, ach cha do ruith an fhuil —
cha robh fuil ann, s' bha 'n gearradh man gearradh a
dhèanadh duine air cnap saill. Dh'fhàs e iomagaineach —
dh'fheumadh e lorg a chuid-aodaich, dh'fheumadh e
e-fhéin a bhàthadh … agus an uairsin thàinig Domhnall
a' Chladaich thuige. Bha sùilean Dhomhnaill a' Chladaich
a' sileadh — 'Bhàsaich mise,' thuirt e. 'Bhàsaich mise bho
chionn fhada.' Agus thòisich e gal 'na fheusag. Bha esan
ag iarraidh bàsachadh cuideachd 's a bhi còmhla ri
Domhnall a' Chladaich a-chaoidh … ach dh'fhalbh e,
agus gun fhiosd dha bha 'n duine foghlumaicht ri
thaobh. Chunnaic e nach robh càil a's an duine
fhoghlumaicht ach an craiceann 's na cnàmhan, 's gu
robh a shùilean air stad 'na cheann. Ach thuirt an duine
foghlumaicht ris gu robh e toilichte, uamhasach toilichte,
na creagan aosd ud fhaicinn a rithist. 'S bha esan, e-fhéin,
toilicht agus thug e cuireadh dha a thighinn gu diathad
mhór — adagan agus buntàta. Cha robh 'n duine
foghlumaicht ag cluinntinn dùrd; thog e na h-ionn-
stramaidean a bha aige agus choisich e sios gu oir na
mara. Bha ghlùinean air lùbadh aig meud na croit, 's bha
cheum bacach. Dh'éigh e ris, agus fhreagair mac talla, 's
cha robh sgot aig na focail. Dh'fhàs e iomagaineach a
rithist … bu chaomh leis an duine foghlumaicht …
bhruidhneadh 'ad air rudan. Dh'fhiach e ri ruith as a
dheidh, ach chunnaic e gu robh 'n duine a' tighinn air
ais, 's nach b'e croit a bha air idir ach màileid, 's nach b'e
'n duine foghlumaicht a bh'ann ach Coinneach Beag —
a' tilleadh ás Africa. Bha botul aige 'na dhòrn 's bha léine
salach reubt. Agus chual e guth a' mhàthair fad ás ag
éigheachd: 'A Choinnich …' agus Barabal ag éigheachd:
'A Choinnich … A Choinnich!'

Leum e 'n àirde. Bha chorp gu léir air chrith 's a'
fallus a' sruthadh dheth. Bha eanchainn a' breabail 'na
cheann, 's an tigh a' cuir nan caran leis. Cha robh càil
nach robh fo mhì-rian — a' saoghal bun-os-cionn,
dorch agus neo-thuigseach. 'S bha crògan fuar a'

stialladh a thaobh-a-stigh, crògan cruaidh, an-iochd-mhor, a' stialladh 's a' sracadh … 's cha b'urrainn dhàsan a dhìon fhéin … chaill e mhisneachd, chaill e chùrs … cha b'urrainn dha. …

Ach an ceann greis fhuair e air dìobhart agus b'fheàrrd e sin. Dh'fhosgail e shùilean agus chunnaic e Teàrlach ag coimhead ris le uamhas. Rinn e gàire neònach.

"Chan eil feagal dhuinn, a bhalaich," thuirt e. Agus dh'fhairich e làidir a rithist, calm agus smiorail. Chuimhnich e gu robh obair aige ri dhèanamh — bleoghan agus eisir, 's an tigh a sgioblachadh … an dìobhart a ghlanadh co-dhiùbh … le bùrn goileach agus *lysol*.

Dh'fhalbh e mach. Bha duine beag, aincheardach, dà chaora agus aon mult (cóig-bhliadhnach) dìreach air nochdadh aig Deas, 's bha 'ad a' dèanamh air an tigh aige — creutairean coibhneil a bha ag còmhnaidh ann an Gil-a'-Chlamhain.

2

"Dh'fhalbh an cadal leam," thuirt an duine, 's e fàsgadh
sinean na bà ruaidh. "Dh'ith mi cus, agus dh'fhalbh an
cadal leam." Bha 'm bainne cho geal, glan, neo-
thruaillidh, man sneachd a' gheamhraidh air Ard-nan-
Claisean, sneachd a' ghlinn, a' saoghal gu léir fo
shneachd. Bu chaomh leis an geamhradh nuair a bhiodh
na làithean glan 's na h-oidhcheanan fèathach le
rionnagan. Oidcheanan geal, bòidheach ... 'ga
chuairteachadh, agus iarrtas 'ga thachdadh. Ach mar bu
tric bha 'n geamhradh dorch, salach — làithean cac-a-
choin agus oidhcheanan grabhail. 'Tha i garbh a-nochd,
a Choinnich,' bhiodh Goromal, màthair a' Sgudalair, ag
radh. 'Uisg agus gaoth, smùid is tein-adhair.' Goromal is
sguab aice 'na làimh; Goromal chòir na sìg-chorc —
chronaich MacDhughaill i, 's fhuair i maitheanas. Thog e
am peile 's chaidh e fo'n a bhó bhreac. Bha na lìonadh dà
bhara anns an eisir ... bha, bha sin ann co-dhiùbh. Is
uamhasach na chuireas bó troimh com ann an aon
oidhche. Chunnaic e cho suarach, mì-fhallain, 's a bha a
chuid fhéin ... bha chuid-san gròbach, grod, man cuid na
circ.
    Leum cuis-eagail de chat cléigeach, glas, a-nuas bhon
a' lubht. Bha fios aig an duine gu robh e ann — bhuail an
t-sùil bhiorach air a shùil a's a' chonnlach. Bha luideagan
craicinn crochaichte ri ceann a' chait far an robh na
cluasan uaireigin agus bha chorp gu léir breac le geadan.
Gaisgeach de chat a bha seo; sealgair agus fear-cogaidh.
Dh'fhàg e an fhàrdaich 'na òige agus chaidh iomadh
ràith seachad mus do thog e ceann a-rithist. Ach thog e
ceann ... 's e gun thog. Aon maduinn, fhuair e e sìnte aig

an tocasaid, sgìth agus leòint, an deidh cuir cùl ri na
blàran. Agus dh'fhairich esan an uairsin man a'
Samaritanach a' frithealadh dha mac stròdhail, le earball
éisg agus botul *lysol.* Bha dòchas aige gum biodh a'
reubaltach air a theàrnadh, gum faiceadh e saoghal
nuadh, saoghal glòirmhor sòlasach, a' deàlradh àluinn
air gach taobh dheth. Ach làirne mhàireach cha robh
sgeul air an t-saighdeir, 's an àite aoibhneas agus
buidheachas (salm no dhà) bha bròn agus briseadh dùil.
A nis, 'na shean aois, bha e na bu chuimhneachail air a
dhachaidh. Cha chuireadh aon nì dragh air ann a sin. Aig
àm druideadh nan dorsan bhiodh a mhionach làn 's
bhiodh a chadal sìtheil, socair.

Bha cait a's an tigh a riamh — sìol a' Phluicein, smior
a' Phluicein; an cat seo, Pluicean: solt agus cadalach 's an
tòin man an t-sia-sginn. An uair a bha 'm Pluicean aca
bha esan beag, ceithir bliadhna, cóig, sia, le breacan-
sìonaidh 's glùinean biorach. A' Sgudalair cuideachd,
beag agus dearg, le dà bhròg chlabach, brògan mòintich
a' sheanair, 's na baralan fosgailte. Dòigheil a-measg an
arbhair, a' lorg luchain. Ruairidh-na-speuclanan a'
rùsgadh snéap an duine dhaibh le sgian an tombac, 's
bha 'n t-iodhlainn làn — taingealachd, taingealachd,
trasgadh agus talamh torach. Agus aig deireadh an
fhoghair thàinig Barabal dhachaidh airson a' cheud uair
ás baile nam ballachan.

Thàinig i tarsuinn na mòintich anmoch còmhla ri h-
athair — 's bha pinsealan aice, agus leabhraichean agus
focail ùr. Thug esan a chreidse gu robh e 'na chadal nuair
a thàinig i anmoch chun a' leabaidh aige — a shùilean air
an teann-dhùnadh, ach a' priobadh 's a' leumadaich mar
rionnagan-an-earbaill 'na cheann. Dh'fhairich e fàileadh
a' bhaile aig a shròin, agus bha sin mìorbhuileach agus
air leth iongantach. Bha chridhe bualadh, 's bha 'n anail
aige luath, ach cha do charaich e gus na dh'fhalbh i. Anns
a' mhaduinn, ruith e air casan beaga sgiobalta suas a'
staidhre 'son feagal a chuir oirre. Bha 'n dorus aice
fosgailt 's bha i 'na seasamh am meadhon a' làir 's a
cùlaibh ris — gach nì a réir a mhiann. Chaidh e thuice gu

fàthach, man am Pluicean anns na feannagan ag èaladh gu druid. Esan cóig, sia ... chan eil deifir ... a' gairm aig àird a chlaiginn, agus Barabal le sgriach a' tionndadh. Barabal a' dol ás cochull a cridhe, dìreach a réir a mhiann. Agus fàileadh neònach a' bhaile fhathast ... bha seo eatorra, esan gu h-ìosal agus ise gu h-uasal a' gàireachdainn 's ag radh: 'O, amadain.' Thug i dhà orainsear agus tofaidh-bó — cha b'urrainn dha càil a radh. Ach an ceann greis thuirt e gu robh seachd cruachan agus sìg-feòir am bliadhna anns an iodhlainn. 'S cha robh sin ceart air dòigh a choireigin — cha robh e ceart a bhith bruidhinn air sìg-feòir 's ag ith tofaidh-bó aig an aon àm. A dh'aindeoin sin, chaidh Barabal chun na h-uinneig — O, cha robh a samhail ann, cho aotrom, beò, a' gàireachdainn. 'Seall, a Choinnich, seall, seall!'

Ruith e null far an robh i (esan le mór-thoileachas a-nis), agus chunnaic iad gu robh a' saoghal geal le sneachd 's an adhar gu léir glas le bleideagan. Ann an tiotadh bha 'ad a-muigh anns an iodhlainn — Barabal ag éigheachd nach beireadh ma-tha, geall nach beireadh, esan leis a' ghràp 'na dheann as a deidh, 's am Pluicean iormall a' mire ri bleideagan. Cha robh càil ann nach do rug e oirre. Cha robh càil ann — ach chaidh a chasan m'a chéile, agus le glaodh bàis 'na chluasan, thuit e air a bheul fodha dha'n t-sneachd. Bha sneachd cho mìn, socair ri aodann, 's bha Barabal a' gal. Cha robh esan a' gal idir — balach mór a bh'ann — ach bha fios aige dé thachair 's bha chridhe gu briseadh. Nuair a thàinig athair, dh'éirich e, 's chunnaic e 'n gràp ann an com a' Phluicein; chunnaic e 'm Pluicean a' sìneadh a chinn; sròin a' Phluicein 's na bleideagan a' laighe oirre.

Cha robh spàrn no spòrs as deidh siud. An ceann dà latha chaidh Barabal air ais a bhaile nan tofaidhean, agus thiodhlaic esan am Pluicean aig bàrr a' chladaich air oidhche bhrèagha, rionnagach.

Lìon e cuach bainne dha'n t-sealgair. Bha obair aige ri dhèanamh. 'Obair, obair, Fhearchair!' thuirt na sìdhichean ri Fearchair leisg. B'fheàrr leis na rud sam bith gun tigeadh sluagh shìdhichean a ghlanadh eisir agus dìobhart dha. Agus nuair a bhiodh an obair sin dèant agus a bheatha ann an cunnart, chanadh e gu h-ùghdarail riutha: 'Tha mi 'g iarraidh ròpa gainmhich a-nis. Ròpa fada ganmhich.' Agus seach gu bheil sin do-dhèanta dha sìdhichean (eadhon iadsan a tha èasgaidh 'na measg) thilleadh 'ad gu tùrsach gu'n dùthaich fhéin — tìr nam balgan-buarach — 's bhiodh esan le spliùchd a' lasadh a phìob. Chòrd a' stòraidh ud ris — Fearchair leisg 's na sìdhichean. Leig e mach an crodh. "Thoir leat 'ad, a bhalaich," thuirt e ri Tearlach, 's rinn Tearlach a réir 's mar a dh'àithn a mhaighstir dha. Thug e sùil air an eisir a rithist ... nan tigeadh 'ad a-nis, an dràsda, na daoine beaga uaine le curagan, chanadh e riutha: 'Cairtibh an eisir sin, glanaibh an dìobhart ...' agus thàinig sgudalair.

Bha a' Sgudalair cruinn, cruinn, agus b'fhiach e Oran Eile. Bha gruaidhean air mar a' ròs 's a shròin man putan. Cha robh e àrd agus cha robh e leathainn; cha mhotha bha e lùthmhor, làidir, treun. Bha a' Sgudalair cruinn, dearg agus cruinn, 's bha bréidean air a bhriogais odhar aig na glùinean 's aig na manachanan. Bhiodh boinneagan fallais daonnan a' sruthadh bho mhaoil 's bho chiabhagan — 'ga chlaoidh, 's bha a' fallas air breothadh achlaisean a gheansaidh-mobain. Ann an gaoth mhór bhiodh sùilean a' Sgudalair a' sileadh — chitheadh tu 'ad air chùlaibh na speuclanan, gorm agus fliuch. Bhiodh sùilean a' Sgudalair glé thric a' sileadh agus glé thric cha robh fios aig duine carson. Bha put air cùl na cluais deas a dh'fhàs suas còmhla ris fhéin agus choisinn dhan a' chluais teich a-mach bho cheann. Cha chluinneadh e dùrd leatha — bha i stoipt le céir agus cotan agus bileagan liath. Bha a' chluais eile 'na h-àite fhéin — pinc, beag-lochd, gun ghaisean. Thuit a' Sgudalair ann a feòil am broinn Ghoromal (ise chaidh ceàrr) agus bu throm a' magadh a ghiùlain e air sgàth sin. Ach rinn e chùis — air éigean — air casan cam, cugallach. Bhiodh e cleachdadh brògan leathar (brogan-mòintich a sheanair) agus bhiodh e uaireanan a' bruidhinn air *Dubbin* 's a liop a mach.

"Dé?" dh'éigh a' Sgudalair.

Bho'n àm a shocraich e cheum chaidh a' mult agus na caoraich (dhà) air chaoch leis a' mhì-mhodh. Chroch 'ad 'ad-fhéin ris le mór-spàrn agus sheall 'ad gu geur 'na aodann — na trì busan a dhiùlt nàire. Bha focail a' tighinn bho bheul a' bhuachaille: "Teich a thràill ... gà daingead ... sguir dheth."... buachaille math, 'na lòn a' roinn dhaibh bonnach. Agus an uair a chaidh a' phronnag mu dheireadh ás an t-sealladh (sios slugan a' chóig-bhliadhnaich), sgaoil a' Sgudalair a-mach a ghàirdeanan agus shéid e man conocag tigh-soluis. Cha do leig 'ad orra gun cual 'ad e ... cha do ghluais 'ad, 's cha ghluaiseadh ... ach thuirt am fear caol ris a' chù: "Feagal orra, bhalaich. Bìd na bleigeardan." Agus cho luath 's a chunnaic iadsan Tearlach grànda a' dèanamh orra, thog 'ad na siùil is shiubhail 'ad.

"Cha do chruthaicheadh leis an fhear ud shuas," thuirt a' Sgudalair, "creutair cho ceannairceach ri caora."

"Ceann-adhairceach," thuirt Coinneach Meadhon-ach, agus sheall an dithis suas. Bha ghaoth a' tarraing oirr gu'n Iar-Thuath, 's bha 'n fhairge luaisgeanach, glas.

" 'Sann bagarrach a tha i coimhead," ars a' Sgudalair.

" 'Sann," ars Coinneach. "Col'as na droch thìde."

" 'S bha làn dùil agam ..." ars a' Sgudalair, a' suathadh a mhaoil, "... dùil agam fiachainn creagach."

"Tha i dol a thighinn leatha," arsa Coinneach, "bho'n Iar-Thuath. 'S tha sinne nis a' dol a steach dhan a' gheamhradh."

"An geamhradh fuar," arsa Coinneach.

Bhruidhneadh 'ad air aimsir, dh'aithnicheadh 'ad a comharran. Ach cha robh na làithean fliuch fiadhaich a' cuir maill no dragh orra. Latha fliuch — glé mhath, broinn an taigh. Co-dhiùbh bha'n obair a-nis an ìre mhath dèaint: thog a' Sgudalair am buntàta 's rinn e sloc; thog Coinneach Meadhonach am buntàta 's rinn e dà shloc. Bha clàr-shneap ri dhèanamh fhathast, ach cha

robh cabhaig air na sneapan ann — sneapan sona, ag
abachadh a dh'aindeoin ainreit agus clachan-meallain.
Mar sin dheth thigeadh i: séideadh i gu béiceach borb;
glé mhath — broinn an taigh — 'mo charraig is mo
dhaingneach fòs.'

"Latha math airson bromail aig beulaibh an teine,"
thuirt Coinneach. "Chan iarrainn an còrr an diugh."
Thug a' sealgair, anns an dol seachad, droch shùil air.

"Tha thusa beò fhathast," ars a' Sgudalair. Thòisich e
feadalaich: *Am port mu-dheireadh thug an ceàrd air a' phìob*
agus thog Coinneach Meadhonach salm, air fonn *Coleshill*:

> O m'anam beannaich thusa nis
> An Dia Iehobhah mór ...

Ged a bha bheul fosgailt, man beul éisg, 'sann troimh
shròin a bha *Coleshill* a' tighinn. Bha ceithir fiaclan agus
bloigh 'na bheul — fiaclan feumail, buidhe. Cha robh iad
taitneach do'n t-sùil (bha a' bhloigh dubh), ach an deidh
sin bha iad airidh air moladh. Lùbadh 'ad bonn-a-sia,
dh'fhosgladh 'ad botuil, rùisgeadh 'ad sneapan; agus an
uair a thigeadh cùisean gu buil, b'urrainn dhà am
piocladh.

Bha guth làidir, cruaidh aige; guth a chuireadh na
h-eich ás a' chorc. Ann an néimh bhiodh a chùil fhéin
aige, fada bho chluasan chàich — a shùilean dùint 's na
coinnleanan fosgailte, O cha robh seo idir furasd a
ghiùlain. Ach bha a' Sgudalair cleachdte ri chuid bùrail,
cluais liath a' Sgudalair cleachdte ri reòghanaich sam
bith. Agus bha Teàrlach eòlach air a dhòighean, 's
bhiodh an dithis aca còmhla' ris a chaoidh.

"Diathad mhór a-nochd!" dh'éigh a' Sgudalair. Stad
Coinneach.

"An dà chearc a mharbh thu. Bi dùil againn riut
roimh bheul na h-oidhche."

"Math dha-rìribh," thuirt Coinneach.

"Brot agus buntàt', agus spàg na circe brice." Bha
aodann a' Sgudalair a' deàrrsadh; dòigheil esan seach
gach uile chreutair.

"O, bi sinn subhach, sunndach," thuirt e, "oir is

iomchaidh e," Bha e fàsgadh a làmhan le aoibhneas ...
dà chearc a-nochd, brot agus buntàta ... Nellie
a' còcaireachd, Nellie agus Coinneach agus e-fhéin,
timchioll a' bhùrd, a' còmhradh — ag radh rudan —
iadsan 'nan triùir, 's an oidhche mhór a-muigh.

"Dé man a tha Nellie an diugh?" dh'fhoighnich
Coinneach.

"Man an t-òr," ars a' Sgudalair, 's bha shùilean fliuch
air chùl na speuclanan, boinneag ri shròin. Agus an
uairsin, le co-fhaireachdainn, dh'fhosgail na néimhean a
h-uinneagan 's bha 'n dìle-bhàidht air Ard-nan-Claisean
fad dà uair-a-thìde.

An uair a chaidh iad a-steach, thuirt a' Sgudalair:
"Tha fàileadh a' mhoncaidh a-seo."

"Dìobhart," arsa Coinneach, a' sìoladh a' bhainne.
"Dh'ith mi cus air mo bhracoisd."

"Feòil, mìr-corc, tea," thuirt a' Sgudalair. Bha e mìn-
sgrùdadh na dìobhart. "Cuine dh'fhalbh do chom?"

"Tha mi cuir na h-uidhir ris an eisir a' chula
maduinn," arsa Coinneach. "Chan eil e mór, ach 'se na
h-uidhir e."

"Man a thuirt an dreathan-donn 's e air mùn dhan a'
mhuir." A' Sgudalair ann a fonn math. Ghlan e na
speuclanan agus sheas e aig beulaibh an teine. Bha
dealbh crochaichte air a' bhalla os a chionn; dealbh an
taigh, agus gròileagan de dhaoine feusagach 'nan
seasamh faisg air. Bha ochdnar ann gu léir: Coinneach
Mór agus Ruairidh-na-speuclanan 'nam balaich òg;
Alasdair (athair Choinnich Mhóir) agus Domhnall a'
Chladaich; Ailean agus Seonaidh Dubh (seanairean a'
Sgudalair), Seòras Alasdair a bh'ann am Buaile na Crois,
agus Domhnall Beag Aonghais 'Ic Dhomhnaill a bha 'san
Dùn. Na bodaich mhoiteal, tùrail agus grinn. Bha
bonaidean bileach orra, 's bha na briogaisean air an
ceangal teann mu'n calpanan le siaman odhar nan
cruach-chorc. Bhiodh a' Sgudalair a' toirt greis a chula
maduinn a' coimhead an deilbh, agus chanadh e
uaireanan nach b'ann ri taobh athair a chaidh esan idir,
a rèir meud agus cumadh, ach ri sheanair, Seonaidh

Dubh, cloidsear de dhuine le feusag man uspag gaoith. Bhiodh e 'g ionndrainn na tocasaid — bha còir aice a bhi 'san dealbh — cha do rinn 'ad an dleasdanas a thaobh na tocasaid — agus bhruidhneadh e air cho col'ach 's a bha Coinneach Meadhonach ri Alasdair, athair athair, ach a-mhàin gu robh Alasdair rudeigin cam — man curra-thulchainn — 's gu robh Coinneach, air a' làimh eile, man an gad-droma.

'S bhiodh 'ad a' cuimhneachadh; na làithean a' gabhail seachad agus iadsan a' cuimhneachadh. Mar bu tric cha chanadh 'ad móran — 's dòcha gum bruidhneadh 'ad air na beathaichean, no air na sneapan; ,creagach, cladach, sìol-mara. ... Grian no gaillionn, cha robh maduinn nach piorstaicheadh Coinneach an teine, agus shuidheadh 'ad ann a sin, a' smocaigeadh 's a' smaoineachadh.

Cha robh duine bha 'san dealbh cho ùghdarail no cho uamhasach ri Seonaidh Dubh. B'esan a dh'innis dhaibh an toiseach mu-dheidhinn an t-Sàtuinn, a shùilean a' caogadh 's a' coimhead gu geur orra — dà bhalach bheag leis an t-eagal. Bha Sàtunn 'na aingeal aig Dia nuair a bha 'n dorchadas air uachdair an domhain, mus robh grian no gealach no aon rionnag ann. Ach, feuch, dh'fhàs a' Sàtunn mórchuiseach agus ceannairceach anns na lùchairtean naomha sin; ghlac e cumhachd dhà-fhéin 's thug e cuid de na h-ainglean gu taobh — dall agus aineolach na h-ainglean seo; oir las fearg an Tighearna 's chaidh 'ad-fhéin 's a' Sàtunn bragail a rotadh a-mach ás an t-sealladh, sìos le fluis troimh 'n dorchadas gus na bhuail 'ad an tòinean fòdhpa anns an t-sloc aognaidh agus iargalt ud far a bheil teine nach téid ás gu bràth. Gidheadh agus co-dhiùbh cha do chaill a' Sàtunn dad dhan a' chumhachd a fhuair e, 's bhiodh e fhathast — eadhon an diugh fhéin — a' gluasad thar na talmhainn, a' piobrachadh dhaoine gu aingidheachd 's 'gan ionnsachadh ann a' slighe 'n uilc — sìn do làmh a chum murt agus goid agus adhaltranas, biodh do smuaintean a ghnàth ormsa, lean mise agus éisd rium neo cuiridh mi feagal dubh do bheatha ort.

Agus air dhòigh is gu faigheadh e buaidh air clann
dhaoine b'urrainn dhan t-Sàtunn seo a nochdadh fhéin
ann an iomadach cruth. Duine mór garbh a bh'ann aig
feadan Bota-Cnàmh, far na thachair e aon oidhche air
Seonaidh Dubh. Chaidh 'ad an glaic a-chéile, 's fhuair
Seonaidh Dubh plabhdraigeadh nach deach a-riamh ás a
chuimhne. 'S bha làrach a chrodhanan aig seana eaglais
MhicDhùghaill far an cuala daoine sgriachail uair is uair.
Ach le bhi 'g ùrnaigh 's a' cuir d'earbsa ann an Dia —
Fear-Coimhead Isràel agus Ard-nan-Claisean — cha
chuireadh an bleigeard seo dragh ort am bith.

Uaireigin, 's iad 'nam balaich bheag, bha 'n dithis aca
ag iasgach Loch Chaol Shanndabhat, feasgar foghair 's
a' chuileag bheag naimhdeal. A' mhòinteach 'na h-uile
ghlòir beò le dathan, mìle dath a-measg a-chéile, 's an
adhar mór os an cionn. 'S an dràsd 's a rithist bhiodh
faoileag a' dèanamh gu cladach, learg gu loch, cearc-
fhraoich gu gleann — srann an t-seilein a's a' luachair,
srann aig meanbh-chuileag an toll do chluais. 'S bha na
caoraich an-fhoiseil, 's cha bu mhotha le na bric na hó-ró
bòrd is boiteagan a' Sgudalair. Ach chum a' Sgudalair
air, crùbt agus cruinn ri taobh na loch; Coinneach 'na
éigean a' fiachainn ri ghreasd, aodann air séid, teth agus
dearg. Cha d'fhuair a' chuileag cus cothrom gu-tà.
Thàinig frasan uisge — frasan fuar, glan — agus thog
esan a shùilean thuca le gàirdeachas, agus bhòc làmhan
a' Sgudalair. Chunnaic iad an uairsin gu robh an feasgar
a' ciaradh, dh'aithnich 'ad gum biodh e dubh-dorch mus
ruigeadh 'ad a' Ghil. ... Cha do leig 'ad càil orra. Phaisg
'ad am bòrd cho luath 's a b'urrainn dhaibh — dòigh
sam bith — cha robh deifir, cha robh tìde.
    "Dh'ith 'ad cus chuileagan," thuirt a' Sgudalair.
"Cha robh 'n t-acras orr ann."
    "Cha robh."
    "Tha 'ad nas déidheil air cuileagan, nach eil a
Choinnich?"

"Chan 'ilfhios 'am. 'S dòcha gu bheil. 'S caomh leotha boiteagan cuideachd."

"Tha 'ad neònach, co-dhiùbh."

"Tha mise smaoineachadh gu bheil feadhainn aosd a's a' loch — seanairean is seanmhairean — 's bi 'ad ag innse dhan fheadhainn eile gu bheil dubhan a's a' bhoiteig. Ach cha bhì 'ad a' cuimhneachadh."

"Am bi na seanairean a' cuimhneachadh?"

"Cha bhì, glé thric. Ach an fheadhainn aosd-aosd, bì iadsan a' cuimhneachadh."

"Am faca tusa fear aosd-aosd?"

"Chan fhaca duin 'ad."

" 'S iongantach mura h-eil 'ad mór."

"Biasdail."

Ghreas 'ad orr, taobh ri taobh, a' leantainn allt cam an t-Slugaid.

"Bha siud math," thuirt a' Sgudalair.

"Bha, mur biodh na meanbh-chuileagan."

"An téid sinn ann a-màireach a-rithist?"

"Thèid. A-chula latha."

"Feumaidh sinn fàgail nas tràith na seo."

"Bha mise 'g iarraidh falbh, ach cha robh thu 'g éisdeachd rium."

"Cha chuala mi ..."

"Bha mi 'g éigheachd àrd mo chinn."

Nuair a ràinig 'ad an abhainn bha i fàs dallanach, ach bha iadsan eòlach air gach gluma, lùb, is brugan fad nan ceithir mìle a-steach gu Gil-a'-Chlamhain.

"A Choinnich?"

"Dé?"

"A bheil gealach ann a-nochd?"

"Chan 'ilfhios 'am ... chan eil."

"A bheil feagal ort?"

"Chan eil ... carson? ... chan fhada gu ruig sinn."

"Feumaidh sinn fàgail nas tràithe a-màireach."

"Feumaidh. Falbhaidh sinn a's a' mhaduinn. 'S dòcha gum bi an t-acras air an fheadhainn aosd an uairsin."

"Falbhaidh sinn mus dùisg na cuileagan, nach fhalbh?"

"Falbhaidh, 's chan eil càil a dh'fhios nach beir sinn air fear mór biasdal."

"Bhiodh e math nam beireadh."

Dh'fhalbh a chasan leis a' Sgudalair aig bruthach réisg agus thuit e air a bheul-fodha dhan a' pholl. Chuidich Coinneach gu chasan e, 's bha 'n dithis air chrith. Cha robh fada nis gus an ruigeadh 'ad earball an fheadain — agus as deidh sin bhiodh 'ad tèaruinnt.

"Théid mis' air thoiseach — lean thusa. Chan eil fada sam bith gu ruig sinn a-nis."

"Siuthad ma-tha. Air do shocair."

" 'N dùil dé chanas 'ad? Tha mi creids' gu bheil 'ad a-muigh a' coimhead air ar son."

"A-chula duine. Tha sinn fada ro-anmoch."

"Ailein?"

"Dé?"

"Chan fhaca m'athair-s' neo mo mhàthair càil aig Bota-Cnàmh."

"Chan fhaca na m'athair-s'. A-riamh."

"Chan eil càil ann."

"Tha feagal orm, a Choinnich."

"Tha 's ormsa."

Agus stad 'ad, fuar leis an eagal. Bha Bota-Cnàmh aig an ath luib ach cha b'urrainn dhaibh carachadh — an dithis gun smid, reòidht', a' coimhead rompa dha'n dorchadas le sùilean móra.

"Dé nì sinn? ... A Choinnich ... Dé nì sinn?"

"Eigh thusa 'n toiseach. Chan eil rian air nach eil cuideigin 'nar lorg."

"Eighidh sinn còmhladh."

Cha do dh'éigh — cha b'urrainn dhaibh — dh'fhaodadh gun cluinneadh rudeigin eile 'ad. Agus sheas 'ad ann-a-sin ri taobh a' chéile — fear man bioran, 's fear man uircean — glaist' air a' mhòinteach mhór, uamhasach ud.

Mu dheireadh chual e a' Sgudalair a' gal, 's dh'fhairich e-fhéin aodann a' call a cumadh — sruth bho shùilean 's bho shròin, a bheul a' sgiabadh agus anail 'ga fhàgail 'na cnapan. Chaidh a' ghal gu béiceal, gu rànail, gu glaodhaich; rug 'ad air làmh a-chéile 's choisich 'ad air an adhart man dà pheacach chaillt a' dol gu cathair breitheanais. Cha robh deifir a-nis; cha shàbhaileadh duin iad … duine beò … Cha robh e comasach dha nì freasgairt orr, ach dha Dia Israel a-mhàin. Agus anns a' mhionaid chuimhnich 'ad: 'Tha feagal aige roimh Dhia.'

"Ma ni sinn ùrnaigh," thuirt a' Sgudalair, "cha tig e 'na ar gaoth."

"Tha 'n Cruthaidhear nas làidir — cha dèan e chùis air a' Chruthaidhear."

"Cha dèan ge b'oil leis."

"Canaidh sinn ùrnaigh 's gabhaidh e feagal."

"Can thusa d'ùrnaigh an-toiseach ma-thà."

Agus thuirt Coinneach:

"Dia féin is buachaill dhomh, cha bhi mi ann an dìth; 's cha thachair càil dona dha m'athair, mo mhàthair, Barabal agus Coinneach Beag agus mise. Agus Ailein. Air sgàth Chrìosd, Amèn."

'S thuirt a' Sgudalair:

"Dean tròcair orm, a Dhia nan gràs, gu h-iochdmhor saorsa mis'; agus m'athair 's mo mhàthair 's mo sheanair, agus Coinneach: Air sgàth Chriosd, Amèn."

"Tugainn a-nis," arsa Coinneach. "Cha leig an Cruthaidhear dhà thigh'n faisg oirnn."

"Cha leig."

"Bi aingeal a' coiseachd romhainn — aingeal leis a' Chruthaidhear — 's bi claidheamh mhór aig an aingeal, 's chì a' Sàtunn e, 's dèanaidh e ás."

"A bheil an aingeal a' coiseachd romhainn an dràsda?"

"Tha."

An aingeal seo, le Dia, 'gan treòireachadh a-steach gu Gil-a'-Chlamhain, 'gan dìon bho'n oidhche agus gach cunnart a th'anns an oidhche, eadhon 's mar a chaidh Peadair a dhìon bho làmhan Herod bho chionn fhada 'n t-saoghail. Agus ràinig iad … cha robh air uachdair na talmhainn cho saoirsinneil, cho taingeil. Bha na daoine móra a' guidheachdan 's a' trod.

Làirne mhàireach cha deach iad a dh'iasgach idir.

Cha deach iad a dh'iasgach an ath-lath' a-bharrachd, no a' là as deidh sin. Sheachainn iad a chéile. Bha cuimhne ro mhath aca air an fheadan, feagal agus ùrnaighean — bha na h-ùrnaighean gu h-àraid na bu dorra dhaibh na 'n cuid béiceil — h-abair balaich mhóra! 'S bhiodh esan, Coinneach, a' smaoineachadh air cho math 's a dh'fhaodadh cùisean a bhith nam biodh e-fhéin air a bhith na bu chruaidhe — a' dealbh 'na inntinn mar a choisich 'ad a-steach ris an abhainn, a' Sgudalair ag uspartaich air a chùlaibh ach a' faighinn comhfhurtachd 'na neart-san. Esan, 's a cheann an àirde, calm agus duineil man saighdeir — esan man Daibhidh a's a' Bhiobull nuair a chuir e flat fuar Goliath. 'S bhiodh Seonaidh Dubh agus Domhnall a' Chladaich agus a chula duine 'g radh: 'O 'se balach làidir a tha siud — cha robh a leithid a-seo a-riamh.'

Thug a' Sgudalair pios pàipeir a-mach ás a phòcaid.

"Tha mi fiachainn ri Oran Mór eile a chuir ri chéile," thuirt e. Bha a' Sgudalair 'na bhàrd agus bha e air sgrìobhadh cóig Orain Mhór a' moladh Nellie, trì dàin dha Gil-a'-Chlamhain agus abhrain mu-dheidhinn frasan agus sgòthan 's an cuan mór farsuing. Ghlan e na speuclanan.

" 'Seo a' chiad rann," thuirt e.

> Chaochail iad uile
> bha smiorail is treun,
> na fiùrain bha bòidheach,
> tùrail is dòigheil,
> chaochail iad uile,
> tha sinne leinn-fhìn.

"Eil an còrr dheth agad?" arsa Coinneach.
"Tha," ars a' Sgudalair. "An rann mu-dheireadh."

> Chaochail iad uile
> 's tha sinne leinn-fhìn,
> a' triall feadh nan gleannan,

nan glaicean 's nan claisean,
a' teàrnadh na mullach
nach atharraich tìm.

Phaisg e am pàipeir agus chuir e 'na phòcaid tòin e.
"Dé do bheachd?" dh'fhoighnich e.
"Glé mhath," arsa Coinneach. "Leugh a-rithist e."
Leugh a' Sgudalair a-rithist agus a-rithist agus a-
rithist e. Agus an uair a bha e deiseil, thuirt Coinneach:
"Glé mhath."
"Bha mi smaoineachadh," ars a' Sgudalair, "gun
còrdadh e riut."
"Cuine chluinneas mi 'n còrr dheth?"
"Tha 'n còrr 'na mo cheann," ars a' Sgudalair.
"Oran mór, a' moladh nan daoine bha seo uaireigin: ar
seanairean 's ar seanmhairean; muinntir 'Ic Dhomhnaill
a bha 'san Dùn, muinntir 'Ic Sheumais ann am Buaile na
Crois, Bànaich Léinebroc. ..."
"An Glaisean?" arsa Coinneach.
"An Glaisean ..."
"Oran mór molaidh."
"Dìreach ... mu-dheidhinn nan daoine còir sin, agus
mu-dheidhinn nan àiteachan a dh'aithnicheadh iad:
a' Loch Chaol, Bhréitheascro, an t-Slugaid, Ard-nan-
Claisean 's a' Ghil ..."
"B'fheàrr leam," arsa Coinneach, "gu'm b'urrainn
dhomh abhran a chuir ri chéile. Ach cha robh an tàlant
sin againn — clachairean, buachaillean, agus luchd togail
na fonn. Sin sinne."
"O bha sibh làn ceòl," ars a' Sgudalair. " 'S bha sinne
làn bàrdachd."
Thug e sùil air an uinneag agus sheas e.
"Cuimhnich air an diathad a-nis," thuirt e. "Thoir
leat an crodh agus fuirich againn-fhìn gu'n ath-
sheachdainn. Thoir leat do ghun-oidhche cuideachd."
"Mo chrùisgean 's mo chòrn-ola," arsa Coinneach.
Agus thòisich iad a' gàireachdainn aig dorus an taigh
mhóir.

3

Dh'fhalbh gaoth na Màirt le na fiaclan a bh'ann an cùl a beòil; falt a cinn air glasadh ann a seo agus ann a seo — bileagan fada liath uaireanan a-measg na feòla, a' seòladh ann am prais a' bhrochain. Cha robh a fradharc cho math a nis. Bhiodh a' Sgudalair a' crathadh a chinn an uair a lorgadh e bileag; chumadh e ris an t-solus i. Esan le chuid speuclanan aig ceann eile a' bhùrd — cha chanadh e focal, chrathadh e cheann.

Bha an aois air a thighinn gun fhiosd oirre: falt agus fradharc agus fiaclan uile toirt fianuis air a seo. Agus Ailean ... cha robh a chlaisneachd ro mhath ... cho bodhar ris an talamh nuair a thogradh e fhéin.

Sgìos an fheasgair: chaidleadh an dithis aca as deidh na diathad, beulaibh an teine. Air a' gheamhradh 's an uisge trom a muigh, fead caol na gaoith 'san t-simileir, bha an cadal seo cho math; cho sìtheil troimh'n t-samhradh 's tu cluinntinn fuam an t-seillein agus ceòl nan eun fad air falbh. Dhùisg i aon uair agus chunnaic i gu robh Ailean a' gal 'na chadal. Chunnaic i na deòir, agus dh'éirich i, 's chuir i a làmh gu socair ri aodann.

'Chuala mi seinn,' thuirt e rithe. 'Bha cuideigin a' seinn, 's cha chuala mi riamh càil cho bòidheach.'

Bhiodh a casan fuar anns a' leabaidh; mus gairmeadh an coileach bhiodh a h-òrdagan bochda reòidhte, agus bhiodh Ailean ri taobh, cruinn man cnoc, 's cho blàth ris a' bhainne. Chuireadh i na h-òrdagan fuar air a mhionach 's leigeadh esan na h-éigheanan:

'Hoi! Hoi-oi-oi! Có tha siud?'

'Mise. Mise th'ann.'

'O Dhé ghràsmhor, tha i fiachainn ri cuir ás dhomh.'

'Bha mi fuar ...'

'Ach chan eil fad agad dheth — chan fhada bhios mi idir ann.'

'Bha thusa cho blàth ...'

'Seall a-mach a' latha sin — sàruich an duine thogras tu an uairsin, a bhoireannaich gun nàire.'

'An dèan mi bracoisd?'

'Tha mi aosd ... mo chridhe a' fàilingeadh ... iongantas gun chum mi dol gu ruige seo, dìreach iongantas ...'

'Lit agus bainne, uighean agus mìr-eòrna.'

Ach dh'fhalbhadh an cadal leis-fhéin 's le chridhe. 'S bhiodh a' ghrian air éiridh gu math mas tionndaidheadh e aiste, a-mach dhan a' ghleann le mhùn: baraille 'm broinn baraille, baraille mu leth-bharaille, a' stealladh bhuaithe na h-àmhghairean a thàinig 'san oidhche. Thilleadh e 'n uairsin 's a ghnùis a' deàlradh:

'Mo bhracoisd, a thràill air do chasan.'

Duine beag cruinn le pluicean, duine beag pluiceach, a bha aice bho chionn aon latha ceòthanach 's i air mhuinntearas anns a' bhaile mhór. Thàinig e feasgar chun an doruis. Bhiodh daoine a' tighinn chun an doruis gun sguir: thigeadh fear le gual, fear le bainne, fear le pàipeirean-naidheachd; thigeadh feadhainn a bhiodh a' creic rudan — pionaichean-aodaich, prìneachan-banaltrum, leabhraichean, 'flagaichean', stuth a dhèanadh caol thu, stuth a ghlanadh do thaobh-a-stigh, acfhuinn nam biodh a' siatuig ort, no losgadh-bràghad, no glasadh-uisg — a h-uile seòrsa duine leis a h-uile seòrsa rud. Cha bu chaomh leatha a bhi freagairt an doruis. Nuair a thàinig an gnogadh seo air feasgar ceòthanach bha i aig toll na h-iuchrach a' smaoineachadh:

duine bhios a' creic sguaban, clabhdan-sgùraidh, canastairean *polish*

duine air an allaban, ag iarraidh sean bhrògan, cùl lof

duine chaill a chiall

duine le sgian 'na phòcaid ...

Dh' fhosgail i 'n dorus agus thuirt e, 'Hello.'

A shùilean air chùl speuclanan, aon cluais mholach, fàileadh an tombac.

'Hello.'

Gàirnealair a bh'ann, le bara agus spaidean agus gràp. Duine sona dòigheil. Thug e fad an t-samhriadh ud ag obrachadh cuibhrionn na caillich aice-se dhan talamh bheannaichte.

Samhradh àluinn. Bha i sunndach, òg.

An uair a bhiodh an t-uisg ann dh'éigheadh i air: 'Trobhad mas téid do bhàthadh!'

'H-abair dòrtadh.'

'Gu sealladh sealbh ort. Tha thu bog fliuch.'

Sheasadh e aig a' stòbha mhór 's bhiodh ceò ag éirigh bho chuid-aodaich.

'Am bi 'ad ag ithe tòrr?' dh'fhoighnich e aon latha.

'Có?'

'Na daoine tha 'san tigh seo.'

'Cha bhì. Bi 'ad a' piocladh na h-uidhir … ach feumaidh mise an t-uamhas a dheasachadh dhaibh a chula latha.'

'Tha sin diabhult.'

'Tha.'

'Bu chòir dhaibh am biadh fhéin a dhèanamh. Bugairean leisg.'

An ath latha thuirt e: 'Tha mi fàgail a màireach.'

'O.'

'Tha mi dol dhachaidh.'

Bha i aig an uinneag an uair a dh'fhalbh e, e-fhéin 's am bara, deireadh an t-samhraidh. Thog e làmh rithe agus dh'fhalbh e. 'S cha do shaoil i càil dheth — bha a' latha man latha sam bith eile, a' feasgair a' ciaradh 's an obair seachad. Ach tràth air an ath mhaduinn chuimhnich i air, chuimhnich i nach biodh e tilleadh, an gàirnealair. Dh'fhairich i seòrsa de chianalas. Bha i 'ga ionndrainn.

Geamhradh fada sàmhach a bh'ann dhith. Dh'fhàs i seachd sgìth dhan a' bhaile 's dhan fheadhainn a bha i frithealadh shuas a' staidhre. Na daoine móra. Bugairean leisg, thuirt esan. Bhiodh i a' cuir seachad nan ionnairidhean a' smaoineachadh air.

Dh'innis e dhith mu-dheidhinn a dhachaidh agus na daoine a dh'fhàg e innte. Bha an tigh aige ann an Gil-a'-Chlamhain, gleann fasgach, far an robh cearcan-fraoich agus caoraich, lochan is lòin, uillt agus abhainn agus dà thobair — aon dhiubh sin le bùrn an iaruinn, tobair a' Ghlaisein. Bha athair agus a mhàthair 'nan aonar ann; bha muinntir Choinnich Mhóir ann an Ard-nan-Claisean, 's bha dà bhràthair — Aonghas agus Calum — ann an àite ris an canadh 'ad Léinebroc. Dh'fhalbh am bàs leis an fheadhainn eile. Chitheadh tu na dachaidhean aca — tobhtaichean fàs — a's a' Ghil, ann am Buaile-na-Crois, agus air an Dùn.

Bha eòlas mór aca air muir agus mòinteach, iasgach agus caoraich. Bha eathair aca air an tràigh, 's an uair a thigeadh an tìde mhath chuireadh 'ad gu sàl i. Gheibheadh 'ad rionnaich, saidheanan, adagan, liùghan is leòbagan; agus a muigh gu h-àrd bha lorg aca air grunnd-mara nan trosg.

Dh'iarr a' muir a bhi 'ga thadhal, thuirt Goromal rithe bliadhnachan an deidh sin, 's iad 'na seasamh air bàrr a' chladaich feasgar ciùin samhraidh, a' faicinn nan iasgairean 'ga stiùireadh gu cala. 'S an uair a chrom iad sìos dh'aithnich 'ad gu robh rudeigin air tachairt, rudeigin ceàrr — cha robh na fir ag radh càil 's bha Ailean a' gal. Thog Calum Bàn agus Coinneach a chorp aiste, corp Ruairidh, le na speuclanan 's a dhà bhòtunn mhór.

Chuir i mòine mu'n teine. Bha sgòthan trom dubh 'san àird an iar ach bha i 'n dòchas gum biodh feasgar math ann 's gun tigeadh Coinneach a dh'ithe nan cearcan còmhla riutha. Cha b'ann tric a bhiodh Coinneach aca aig diathad, ach nuair a thigeadh e, gu dearbha bhiodh slugadh ann — bha slugan ann an Coinneach man slugan sùlaire. Thòisich i air a' nigheadaireachd. Bha tuba mór aca a rinn Seonaidh Dubh le fiodh a' chladaich ...

Tha 'n cladach fialaidh, ars esan, 'na sheasamh aig

a' stòbha agus uisge drùidhteach a' bhaile a' dòrtadh dìreach a-nuas.

Dh'innis e dhith gum biodh 'ad air na creagan le slatan fada cuilc. Bhuaineadh 'ad scrom (feusgan beag dubhghorm) agus phronnadh — biathadh math chudaigean. Thigeadh a' saidhean 's a' smalag a-steach chun na creige cuideachd. Dhèanadh 'ad sabhs leotha sin, agus ceann-propaig le na truisg.

Ach cha b'e iasg a mhàin a bhiodh iad a' faighinn: bha maorach gu leòir — faochagan is bàirnich — air na cladaichean; crùbagan is portain, agus feamainn. Bha feamainn ann a dh'itheadh iad: mircein, duilisg, agus stamhan; bha feamainn ann a bhruicheadh 'ad dhan a' chrodh, 's bha feamainn ann a sgaoileadh 'ad air a' chlàr bhuntàta. 'S bhiodh na tonnan a' tilgeadh suas gu mol a chula seòrsa rud: fiodh, ròp, bucais-éisg ... bho chionn fhada, bha bodach a' spàgail air a' chladaich ... chunnaic e tocasaid.

Muir agus mòinteach.

Chumadh sin còmhradh ris, 's e blàthachadh a thóin ann am baile mór grànda.

Thill e. Thill e aig toiseach na Bliadhn Ùr.

'Hello Nellie. Seo mise rithist.'

Bha i cho dòigheil, cha robh dòigh aic air innse.

'Cha chreid mi gun bhuail a' ghaoth ort bho chunna mi thu.'

'Cha do rinn mi móran a-muigh idir.'

'Tugainn ma-tha. Cuir umad do chòta 's do chlogaid, 's ruigidh sinn na beanntan.'

Bha na beanntan seo air taobh a-muigh a' bhaile — tlachdmhor a bhi 'nam measg 's an adhar bhos do chionn.

'Seall,' chanadh e. 'Seall air a' sgòth sin. Tha i col' ach ri Aonghas Bàn Léinebroc a' séideadh na pìob.' Bhiodh e 'n còmhnaidh a' faicinn dhaoine a's na sgòthan. Bha cuimhn aice air aon gu h-àraid: 'Donnchadh Bàn 's a bhriogais m'a chasan agus bardachd a' togail cinn.'

Aon latha rinn e searmon dhith:

Shuas gu h-àrd anns an adhar, far nach ruigeadh sùil 's nach cluinneadh cluais, bha bodach feusagach le sùilean caogach biorach, cho geur ris an t-saighead, cho eagallach ri dealanaich, a' gabhail alla ann am breitheanas le leabhar agus pinseil purpaidh. Agus bha sluagh àraid de dhaoine meanbh geal anns na néimhean còmhla ris: feadhainn a bha cùramach mu'n deidhinn fhéin an uair a bha iad làthair anns an fheòil. Bha iad sona agus sóghail, a' dol bho àite gu àite le 'n òrain a bha naomh, a' seinn le 'n uile chridhe mór-mholadh agus glòir, 's cha robh an tùchadh air duine dhiubh oir cha robh tùchadh tuilleadh ann. Cha mhotha bha grian no gealach ann, no eadhon clachan-meallain, gaoitean borb a' gheamhraidh, caisean coimheach na Bealltainn, rotach donn 'ill Donain. Agus 'nan teis-mheadhon bha 'n duine feusagach, Alpha Beta Omega, le phinseil purpaidh 's a' leabhar mór sgaoilte fosgailt air a ghlùinean. 'S nan gabhadh ise — Nellie — oirre breug innse, breith a thoirt, droch ghnìomh a ghnìomhachadh, droch chainnt a chleachdadh, droch smuain a smuaineachadh (air folach no gu follaiseach) bha 'n duine seo le dreun a' tionndadh nan duilleag chun na litreach N, agus ann a-sin, còmhla ri Nebuchadnesar, Nehemiah, Niall Odhar, agus Noah, bhuaileadh a shùil air Nellie agus sgrìobhadh e sìos a dol a-mach agus a teachd a-steach le osnaich ro-throm. 'S bha latha ri tighinn (no oidhche uamhasach) air am biodh Nellie, 'na h-aonar, air a gairm gu a bheulaibh, 's mura biodh i deamhnaidh sgiobalta air a teanga bha àite àraid eile a' feitheamh oirre.

Sloc dhubh na mì-mhisneachd: cnàmhan a' bragail, cnàmhalaidean le fiaclan a' dìosgail. Sluagh mór: muirteirean, misgeirean, meàrlaich; strìopairean, cealgairean, balgairean. Ròsdadh agus dàthadh. Aite duilich. Agus a' cumail na cùis fo mhì-rian bha a' Sàtunn 's a chàirdean — rudan iargalta le earbaill agus adhaircean. A nis cha robh feum aig a' laoch seo air leabhar no pinseil, ach bha fios aige gu robh peacach ris an goirear Nellie air uachdar na talmhainn 's gum biodh droch smuaintean 'ga gluasad aig amannan. Agus b'e an

dleasdanas aige-san na smuaintean sin altrum chum 's gu
fàsadh iad torach agus lìonmhor, agus mar sin gun
tigeadh Nellie maille ris an uair a ruigeadh i ceann a lò.
Bha 'n t-sloc a' cuir a-mach air a bus, ach bhiodh rùm
ann dhìthse, ha-ha!

'Muirt mhóir, Ailein, cà 'n cuala tu sin?'
'Cha chuala tu siud a riamh?'
'Cha chuala.'
'Obh obh-obhan,' thuirt e, a' crathadh a chinn.
Ghabh iad seachad ma-tha, na làithean aotrom ud.
Thàinig làithean eile. Ach a dh'aindeoin gaiseadh agus
gathan bha lorg aca fhathast air sunnd agus ceòl.
Bha puirt aca agus abhrain mhath. Feadhainn
shuigeartach a chuireadh gu danns thu:

> Theirig thusa dhanns
> 's gabhaidh mise port leat —
> earball a' radain, earball a' radain ...

Feadhainn shlaodach a chuireadh an cianalas ort:

> Thug thu 'n ear dhiom is thug thu 'n iar dhiom,
> Thug thu ghealach is thug thu ghrian bhuam,
> 'S ghoid thu 'n crìdh bha 'n taobh-stigh de m'
chliabh bhuam —
> Cha mhór, a ghaoil, nach dug thu mo chiall
bhuam.

Bu chaomh le Coinneach an t-abhran ud, bhiodh e
aige 'n còmhnaidh. Dh'iarradh i air a ghabhail a-rithist,
troimh shròin 's a cheann an àirde, mar a bha e uaireigin
air oidhche na bainns aice.

Latha sonraichte bh'ann, a' latha phòs i. Bha teas na
gréine duilich a ghiùlain, 'gad fhàgail sgìth agus fann.
Thaom a' sluagh a-mach chun na sràidean; a chula duine
'na lòn falluis, na boireannaich 'nan aodach samhraidh
a' nochdadh shliasaidean saillmhor geal — na seacai-
dean beaga air am pasgadh air falbh 's na màsan fo
sgaoil aon uair eile. Rinn i fhéin agus Ailean a rathad
tromhpa gus na choinnich iad ri duine àrd cnàmhach.

'Seo Gandhi,' ars Ailean, 's rinn an duine gàire cruaidh eagallach. Bha dùil aice gun tuiteadh e an comhair a chùil. Coinneach Meadhonach mór:

'Well, well, well,' ars esan. 'Well, well.'

Bha a' ministeir maol. Bha ball-dóbhrainn air os cionn na cluais taisgeil, putanan a' ruith sìos a bhroilleach, fàileadh siabunn dearg. Ministeir glan, snog, bog, man cluasag. Thuirt Coinneach ri Ailean nach robh 'n droch aghaidh air a dhol gu ministeir 's a chliù cho cugallach anns na raointean naomha sin. Cha robh dragh aig Ailean, ach bha crith 'na thóin an uair a thàinig cùisean gu buil:

'A bheil thus Ailein a' gabhail a' bhoireannaich seo' … ploscairtich a chuirp, rùchdail a mhaodail …

'A bheil thus Nellie' … an uair a stadadh e chanadh i 'Tha — tha, tha, tha.'

Bha cuirm aca air an oidhche, abhrain agus ceòl. Sheas Coinneach air bòrd agus labhair e:

'Tha mise glé eòlach air an duine seo — Ailean mac Ruairidh, a rugadh 's a thogadh ann an Gil-a'-Chlamhain. 'Se bàrd a th'ann — bàrd agus fear-siubhail na mòintich d' am bu dual a bhi smiorail 's na blàran.'

'Och isd.'

'Agus seach gu bheil e 'na bhàrd, nach biodh e iomchuidh dhòmh-sa rann neo dhà, a rinn mi-fhìn, aithris dhuibhse an dràsda. Cha b'e gu robh bàrdachd air a buileachadh oirnne — clachairean agus luchd-togail na salm — ach an deidh sin, rinn mi mo dhìcheall 's tha mi glé chinnteach gu'n gabh sibh mo leisgeul. Seo agaibh e ma-tha.'

Agus le sin dh'aithris e *Dha Nellie*:

'S mór mo thoileachas a-nochd
a bhi làthair aig do bhanais.
Na biodh gruaman ort, a luaidh —
'S tusa fhuair an gaisgeach fearail.

Bheir e fiadh dhut ás a' bheinn,
Bheir e breac dhut ás a' linne,
Iasgair air cuan mór nan tonn

'S a' chraobh as àrda tha 'sa' choille.

'S tusa fhuair am fleasgach stuam —
Gu Là Luain chan fhaic thu shamhail.
Nis guidheam sonas dhuibh gach ré
Is òlamaid le chéile gloinne.

'S an uair a thràgh iad na botuil 's a fhuair an
tùchadh làmh-an-uachdair, thàinig a' chuirm gu ceann
agus dh'fhalbh iad 'nan triùir dhachaidh.

"Faire, faire shaoghail," arsa Nellie, a' fàsgadh
drathairs chlòimh Ailein. Bha an t-uisge trom a' dòrtadh
a-nuas 's a' cuir deann ás an talamh. Bhiodh Ailean air
ruighinn Ard-nan-Claisean 's bhiodh e-fhéin agus
Coinneach am broinn an taigh a' coimhead dhan teine.
Dh'fheumadh i-fhéin a dhol cuairt an taobh sin a
dh'aithghearr, ged nach biodh ann ach gu faiceadh i a'
bhó bhreac 's a' bhó ruadh a-rithist. Dh'aithnicheadh iad
gu math i, 's iadsan a dh'aithnicheadh. Bhiodh 'ad aice a
chula samhradh, 'gam buachailleachd air a' ghleann. 'S
cha robh uair a bhiodh i leotha nach tigeadh Goromal gu
cuimhne, Goromal agus a' bhó chiar a bh'aca nuair a
thàinig ise 'n toiseach.

'Seall oirre Nellie. Sin a' chailleach chiar againne, 's
chan eil air an t-saoghal a tha saoilsinn uidhir.'

'Seall a-nis cho dòigheil 's a tha i, a' cnàmh a
cìr 's a broinn gu sracadh. Cuir do làmh oirre. 'S caomh
leatha sin, a bhiasd gun nàire ...' Cha bhiodh Goromal a'
sguir a bhruidhinn rithe 's 'ga cìreadh le cìr mhór
fhiodha a bha fhathast aca a's a' bhàthach. Goromal
chòir choibhneil. Aon latha 's iad a' buain na mónach,
rinn Coinneach Mór a mhùn ris a' pholl. Bha Coinneach
agus Ruairidh air a' bharrfhad; Calum Bàn agus Ailean
air fàd a' ghàraidh; Goromal agus Catriona, bean
Choinnich, a' buain a' chaorain. 'S rinn am breitheanas
ud a mhùn. 'S an uair a thàinig Goromal air a' lòn a
dh'fhàg e, thoisich i a' flodranaich ann le a làmhan.

' 'Il fhios agaibh air a-seo fhearaibh,' dh'éigh i 's i
togail a cinn. 'Gheibh thu mach gad a tha latha fuar, tha
'm bùrn blàth.'

'An trusdar grànda,' thuirt i nuair a chaidh innse dhith, 'dhèanadh e 'n àit sam bith e.'

Dh'ionnsaich Goromal bleoghan dhith, 's mar a dhèanadh i gruth is ìm ùr, ceann-propaig, maragan agus lus-nan-laogh. Chumadh sin greann ri na fir. Dh'ionnsaich i snìomh agus fighe — geansaidhean, stocainnean, bonnagan agus *balaclàvas* — chumadh sin blàths riutha. Ann an ùine glé aithghearr cha robh cuimhne air a' bhaile mhór.

Bha i taingeil cùl a chuir ris. Ailean 'na shuidhe mu coinneamh, moch 'sa' mhaduinn air là Lùnasd, 's iad a' siubhal troimh ghlinn. Dh'aithris e bloigh bàrdachd dhith:

> Dh'iarrainn-sa nis a bhi còmhnaidh gu bràth
> far nach tig doinionn a dh'oidhche 's a là,
> far nach bi foill agus caoidh agus cràidh
> far nach fàs guirean
> niosgaid no fuine
> fada bho ghlaodhraich na sràidean.

> Mise 's mo leannan 'sa' ghleannan as bòidhch
> còmhladh a' tàmh far a seinneadh na h-eòin,
> is far am bi sàmhchair a ghnàth 'na ar còir
> gun aimhreit no bròn,
> deuchainn is deòir,
> ach beò ann an aoibhneas is àilleachd.

'Dé do bheachd air?'

'Glé mhath Ailein. Có rinn e?'

'Mise. Dhut-sa.'

'Cha thill sinn dhan a' bhaile mhór tuilleadh.'

'Eil thu smaoineachadh gu'n còrd a' Ghil riut?'

'Tha mi cinnteach as.'

'S math sin.'

'Dé bhios 'ad a' dèanamh an dràsda?'

'An dràsda ... woill, bi sinn a' tòiseachadh air obair an fhoghair ... a' spealadh an fheòir 's ga chaoineachadh ...'

Bha i cho saoirsinneil. Cho taingeil.

Chaidil i agus Ailean a' bruidhinn air corc agus

sneapan, an t-sealbhag ruadh 's am buntàta. 'S cha do thill 'ad tuilleadh, 's cha thilleadh gu bràth.

Dh'fhosgail i an dorus dhan a' chat.

Bha turadh ann, 's bha feum air. Chrochadh i 'n t-aodach air a' ròp ... leigeadh i na h-uain a-mach ... biadh dha na cearcan ... 's an uairsin an diathad mhór.

4

Bha an duine agus an cù a' gabhail gu socrach tarsuinn na mòintich. Bha esan a' bruidhinn ris fhéin, 's bha an cù a' snòtaireach aig toill air an robh e glé eòlach. Gu dearbha bha an dithis aca cho eòlach air an t-slighe seo 's nach iarradh iad solus a' latha no solus sam bith eile airson a rathad a dheanamh. Rathad nan Caorach, còmhnard agus tioram. Bha an fhaing aca 'na theis-mheadhon, eadar Ard-nan-Claisean agus a' Ghil. Ach b'fheàrr le na caoraich na ròidean cumhang lùbach aca fhéin. Bha a' mhòinteach làn dhiubh, agus cha robh aon ann nach aithnicheadh esan. Cha robh àite gun ainm, 's bha na h-ainmeanan sin aige. Glé thric bhiodh e 'ga fhaicinn fhéin 'gan innse dha coigreach a choireigin — duine le peann agus pàipeir aig an robh ùidh ann an ainmeanan.

'Seo agad ma-tha Rathad nan Caorach 's bheir e dìreach gu stairseach a' Sgudalair sinn. Tha Rathad Aonghais 'Ic Dhomhnaill ann a sin, Siar oirnn; agus air an taobh eile, a' ruith gu Sear, tha Rathad na Buaile. Bheir an dà rathad sin air ais chun a' chladaich thu.'

Fear foghlumaicht nan ainmeanan le sgoinn a' sgrìobhadh.

'A nis … na leanadh tusa Rathad Aonghais 'Ic Dhomhnaill ruigeadh tu an Dùn. B'e sin dachaidh Aonghais, agus dachaidh a mhic 's a nighean. Ach nam b'e rud e 's gu'n gearradh tu gu'n Iar'as, ruigeadh tu an uairsin na Lochan Sgeireach agus an Cladh. Cladh Thómais air bàrr a' chladaich.

'Tha Rathad Caol na Buaile a' dìreadh suas gu Buaile-na-Crois 's a' lùbadh a-steach fad mìle gu àite ris an

canadh 'ad Léinebroc. Bha dachaidhean a sin cuideachd
— muinntir Alasdair 'An 'Ic Sheumais a's a' Bhuaile,
muinntir Ailein Ruairidh agus muinntir Mhurchaidh
Bhàin ann a Léinebroc ... bha, daoine gu leòir ... agus
dh'fhalbh 'ad ... bhàsaich 'ad ...

'Ach chunnaic mise uair a charaid, chunnaic mi
uair ...'

Maduinnean socair séimh an uair a dh'éireadh a'
ghrian ... na maduinnean a dh'fhalbhadh iad gu léir
còmhladh 's an talamh fliuch le dealt, an gleann fo cheò.
Dh'fhaodadh gu'm biodh an gnothuich ris a' bhaile a
bha seachd mile deug go'n Iar-dheas orra — gach duine
le threud fhéin a' dol gu margadh. Neo 's dòcha gu'n
deanadh iad air an àrd mhòintich a chruinneachadh nan
caorach ...

'An àrd mhòinteach,' chanadh e ris an duine, '... sin
agad a' mhòinteach a chì thu os cionn na Gil ... suas
uachdair a' ghlinn agus a-mach romhad. Nam biodh tu
ag iarraidh sealladh math fhaighinn oirre chan eil àite
nas fheàrr — chan eil àite nas fradharcaich — na'n Tom
Geur ann am mullach na beinne. Seall, sin an Tom Geur
an taobh-sa ... seas thusa 'na mhullach latha glan soilleir,
agus tha siorruidheachd de mhòinteach sgaoilte fo d'
chomhair ... sgaoilteach de mhòinteach mhór bhriste ...
lochan agus uillt agus aibhnichean, féithichean agus
raoin ... 's chan eil àite gun ainm.'

Thòisicheadh e a-muigh gu fada aig an aona bheinn
eile a bha air a' mhòinteach aca — Sgriothabhal 's i 'na
h-aonar a' cumail fasgadh ri Lochan a' Ghille Ruaidh.
Bha feadan cam Idhagro a' cuir nan caran gu Sear,
timchioll Loch Bhréitheabhat agus suas gu Blàr na Fala.
Agus faisg air a' bhlàr bha Loch Chaol Shanndabhat far
'na ghabh e-fhéin agus a' Sgudalair feagal am beatha aon
fheasgar fann meanbh-chuileagach. Rug an oidhche orra
's gu dearbha cha b'ann geàrr a bha an t-slighe: sìos
Garadh Mór Shanndaidh 's a-steach an gleann gu Gil-
a'-Chlamhain. Ainmeanan gu leòir: an Airidh Ghlas, an
t-Slugaid, a' Leana Bhàn, Bhréitheascro, an Garadh Dubh
agus Bota-Cnàmh. Bhiodh daoine a' faicinn rudan aig

Bota-Cnàmh, rudan neònach … Thuirt Seonaidh Dubh aon oidhche 's e air chéilidh:

'Tha rudeigin a's an diabhul àit ud nach ceannsaich do reusan.' 'S cha robh duine nach do chreid Seonaidh Dubh ach Seonaidh Dubh fhéin.

Air a' mhòinteach a-stigh bha dà loch eile Sear air a' Bheinn: Loch Léineabhat, domhain agus dorch le bruaichean àrda dubh — cha tigeadh eun 'na h-àruinn ach an fhaoileag 's an fharspag; agus Loch Sléibht, air a cuairteachadh le feur agus fraoch agus luachair, far am faiceadh tu an fheadag 's a' naosg agus an eala bhàn 'na h-àm fhéin. Bhiodh balaich Dhomhnaill Mhurchaidh Bhàin a' snàmh ann an Loch Sléibht a chula samhradh. Bha an tigh-mòintich aca 'na ceann-a-Tuath ri taobh an fheadain. Bha an tigh-mòintich aca-fhéin ann an Gearraidh na Beinne — chitheadh tu na làraich: àiridh Alasdair 'An 'Ic Sheumais agus àiridh Aonghais 'Ic Dhomhnaill air Bhréitheascro; Seonaidh Dubh agus an Glaisean aig Lochan a' Ghille Ruaidh; àiridh Ailein Ruairidh — athair a' Sgudalair — a-muigh air a' Leana Bhàin. Bhriseadh e do chridhe a bhi 'gam faicinn.

Shuidh e sìos air cnoc fraoich far am biodh curra-mheadhagan a' fàs gach bliadhna. Bha a' feasgar a nis dorch, agus chunnaic e gu robh dreach a' gheamhraidh a' tighinn oirre a rithist. Cha robh sgeul air cuileag no meanbh-chuileag, daolag no damhan-allaidh. An damhan-allaidh a b'fhearr leis a bh'ann. Uaireigin bheireadh e fad a' latha 'ga choimhead ag obair, a' falbh leis a' lìon ud gu faiceallach, foighidneach. Cha dèanadh mac an duine gu bràth nì cho iongantach, cho sgileil, ri seo. Ach sgriosadh e i — an troc — le dhà chas spàgach agus bata. 'Se sin a thigeadh air, a' Sgriosadair mór grànda, fàth a' bhròin. Bha an damhan cho sgiamhach, le chasan caola tuigseach, ann an teis-mheadhon a dhachaidh. Lorgadh e cuileag mhór dha, agus chòrdadh e ris a bhi 'na fhianuis air an t-sabaid aithghearr ud: srann àrd an eagail aig a' chuileag agus fear treun a' mhonaidh, gun iochd, gun aithreachas, 'ga bruthadh gu bàs. Agus cho luath 's a bha an ùpraid seachad,

cheangladh e an t-anart glan-thimchioll na closaich agus
dh'fhàgadh e ann an siud i gus am buaileadh an t-acras
air. 'S dòcha cuideachd gun tilgeadh e geug fraoich dhan
a' lìon ach bha an damhan sgiobalta 's cha bhiodh fada
gus an tilgeadh e a-mach air ais i. Aon uair thilg e
seillean-each innte, ach cha do rinn an damhan cron sam
bith air. Dh'aithnich esan a' latha sin gu robh an damhan
agus an t-seillean-each dàimheil ri gach-a-chéile.
Chanadh feadhainn bodach-spàgach ri seillean-each,
agus chanadh feadhainn eile seillean-each ri bodach-
spàgach. 'S cha robh focal molaidh aig Domhnall a'
Chladaich dhaibh — bha iad a' dèanamh dìol air a' chàl,
a' gàrachadh obair a làimh le uighean beaga dubh a
bhiodh iad a' breith 'nan ceudan.

'Chan eil annta,' chanadh Domhnall a' Chladaich,
'ach donais, agus strìopairean, gun mhionaid ach steigte
ri chéile no a' breith uighean anns a' chàl agam-sa.'

A dh'aindeoin sin cha robh càil aige fhéin 'nan
aghaidh. 'S ann a bha Domhnall a' Chladaich a'
bruidhinn air a bhroinn, agus dh'fhaodadh gu robh
farmad aige riutha cuideachd. 'S cha do thilg e an còrr
dhiubh a lìon an damhain-allaidh.

Ged a bha a' mhòinteach aognaidh anns a'
gheamhradh, bha i 'ga tharraing-san gu mór. Bha i mar
gum b'ann sìnte marbh, ach thuigeadh esan,
dh'fhairicheadh agus dh'aithnicheadh e, nach robh i mar
sin idir. Bha i ag éisdeachd, a' feitheamh. Dh'fheumadh
duine faiceal 'na còir.

Thachair rud dha-fhéin bho chionn fhada, 's e 'na
ghille òg a' lorg chaorach ann an Dùbhlachd a'
gheamhraidh. Fhuair e iad aig ceann-an-Iar Loch
Bhréitheabhat ann am fasgadh nam bruthaichean
dubha. Dà mhult agus caora, na h-aodainn aca air
bòcadh leis an fhuachd. Thug e dhaibh aran agus
sgealban bhuntàta, an déireach 'na làmhan aig neimh na
gaoithe, a shùilean 's a shròin a' sileadh. Cha robh fada
gus an dàinig a' feasgar a-mach: chruinnich na sgòthan
'san àirde Tuath, las an dealanaich, agus rinn i fras
chlach-mheallain a chuir dearg uamhas air. Chrùb e ri

seann thobhta àiridh, agus chrùb na caoraich còmhla ris.
Bha feagal orra. A' loch cho uamhalt; an t-uisge ri
frasadh 's a' stealladh mu bruaichean, agus sualaichean
a' briseadh oirre mar gu'm biodh sluagh dhiabhuill ag
iarraidh suas gu h-uachdair. Na h-uillt air éiridh 's a'
sgaoileadh gu brais feadh raoin is ghlinn. A' mhòinteach
gu léir air dùsgadh ann an corruich. Thug e chasan leis
cho luath 's a thog i baltag. Ruith e le bheatha, mar gum
biodh na deamhnan ud teann air a shàil, 's bha a'
mhòinteach a' fanaid air fad na slighe dhachaidh. Chan
fhac e na caoraich tuilleadh.

Ach nan robh cù glic man Teàrlach air a bhi aige,
bhiodh e air an toirt leis — feagal ann no ás, cha
chuireadh iad maill air a cheum agus cù math leotha.
Bho'n uairsin, bha coin aca: coin bhìdeach, coin
chadalach, coin gun fheum, coin nach robh a leithid a
riamh ann. Agus b'e Teàrlach a b'ainm dhaibh uile.

Cha robh gin idir cho math ris an fhear a bh'aige an
dràsda: Teàrlach Mór, robach, ruadh. Fhuair e e air crùn
's cha cheannaicheadh an t-òr an diugh e. Suas ri seachd
bliadhna bho fhuair e e, ann an tigh-òsd, 's e thall anns a'
bhaile a' faighinn spaid.

Bhuineadh fear a' chuilein dha na ceàrnaidhean-a-
Deas, agus bha pathadh mór air.

'Mhuire, Mhuire,' arsa fear a' chuilein. 'Sgràthail an
obair an òl.'

'Thoir dhomh fhìn an cuilean,' arsa Coinneach.

'Dé thuirt thu, laochain?'

'Bheir mi dhut crùn air.'

'Dia, Dia.'

Thug e dhachaidh fo achlais e, gu Ard-nan-Claisean,
far an deach nochdadh dha, troimh thìde, agus far na
thuig e gu luath gu'm b'e a ghnothuich-san sùil gheur a
chumail air na caoraich. A thaobh nan caorach, bha an
cù agus a' Sgudalair air an aon fhacal: cha robh sgot a
dh'òrduich Dia aca; ach cha robh cron air thalamh annta
— fiù's eunlaith nan speur nach laigheadh orra — agus
càil a b'fheàrr idir, bha iad a' toirt ùmhlachd dha. Cha
b'e sin dhan an trusdar cait e, a' salachair a bhiodh a'

geamhrachadh aca, a nàmhaid gus an stadadh an anail:
mórchuiseach, beag-nàire, gràineil, mì-fhallain. Cha
robh uair a leagadh Teàrlach sùil air nach biodh grìs a'
ruith troimh chorp, spiorad na muirt 'ga lìonadh bho
bhàrr a shròin gu bàrr earbaill. Bhiodh e ag ùrnaigh gun
deidheadh a' chuis-ghràin a thachdadh, no gu sluigeadh
an talamh e, no gu sgriosadh Dia e, mar bu nòs, ann am
priobadh na sùla.

Ach an aon rud bu dorra dha idir — rud a bhiodh 'ga
fhàgail fo mhulad agus fo imcheist, 'se gu'm biodh a
mhaighstir a' toirt lòn agus aoidheachd dha'n ainmhidh
seo. A mhaighstir-san, duine tuigseach, toinisgeil, a' toirt
biadh agus bainne dha, cothrom an taigh agus cothrom
na bàthaich, cothrom ilmeachd fhéin 'san àite b'fheàrr
an tac an teine, agus cadal a' gheamhraidh far an togradh
e ...

Mar bu mhotha a leanadh na smuaintean sin ri
Teàrlach 'sann bu ghràinde a shealladh. Bha e air a leòn
eadar fearg agus eudachd 's cha robh cobhair an dàn
dha. Leis an fhìrinn innse, bha feagal air roimh'n chat.
Chual e ro thric an durraghan eagallach a bha aige;
chunnaic e ro thric an corp a' teannachadh 's na h-inean
a' lùbadh a-mach. Bhiodh e 'gan gleusadh ris an tocasaid
— sealladh a dh'fhàg gun chadal Teàrlach bochd.
Deuchainneach dha-rìreabh a bhi beò ré geamhradh a'
chait, gun shaoirsinn gun cheol-gàire. Thigeadh sgleò air
a shùilean agus lorgadh e cùil far a sìneadh e a cheann.

Co-dhiùbh, bha e sona gu leòir a-nis — e-fhéin agus a
mhaighstir a' siubhal na mòintich gu Gil-a'-Chlamhain,
gu tigh a' Sgudalair agus cat a' Sgudalair a bha solt,
modhail agus cadalach.

Bha an oidhche air tuiteam an uair a ràinig iad; solus na
lamp air an uinneag a' gealltainn blàths; fàileadh blasda
na circe brice nuair a dh'fhosgail an dorus.

"Hello," arsa Nellie, ann an guth socair. A
gruaidhean dearg aig teas an teine mar ghruaidhean te a

bhiodh fad feasgar bhos cionn na greideil a' fuine nam bonnach eòrna.

"Hello, a Choinnich," thuirt ise. Agus air a cùlaibh, man a' ghealach ag éirigh, 's a' cuir fàilte le mór-thoileachas, aodann eile. Aodann na Nollaige, ag aithris duan:

Gur minig, minig, minig
Thàinig Crìosd ann a' riochd a' choigrich,
Gur minig, minig, minig
Thàinig Crìosd ann a' riochd a' choigrich.

"Tha 'n uiseag a' seinn," thuirt Coinneach.

"Hello bhalaich," arsa Nellie. "Teàrlach bochd, Teàrlach bochd agamsa ..." Earball Theàrlaich a' sgabadh na gaoith, air a chasan-deiridh ag iarraidh a h-ilmeachd, ag iarraidh oirre-se a chluasan a thachais.

"Teàrlach còir, Teàrlach agamsa ..."

"Chan eil mi faicinn bó no cearc," ars a' Sgudalair, 's e a' togail a làimh ri mhaoil 's a' coimhead dhan an oidhche.

"Laigh sìos a nis," arsa Coinneach.

"Carson nach tug thu leat 'ad? 'S dh'fhaodadh tu d'anail a leigeil còmhla rinn-fhìn là no dhà ... do chasan a chuir suas 's do phutan-mionaich fhosgladh ..."

"Fear a ràinig mo latha, buachailleachd chearcan ..."

"Tróidibh a-steach," arsa Nellie.

Bha prais-phùlais air an t-slabhraidh, prais air leac an teine, prais a' pìochail air éibhil — iad uile a' smùideadh, a' sméideadh, a' gealltainn dhut làn do bhroinn. Chaidh Teàrlach a steach fo'n bheing 's ged a bha an cat ann roimhe, cha do leig an cat air gum fac e càil, gun cual e dùrd. Laigh iad gu sóghail an sin, a' coimhead nan casan a bha muigh: dà bhròg leathair a' Sgudalair; brògan tacaideach Choinnich; na stocainnean cloimh aca; dà chas Nellie, le spotagan beaga dubh ás an robh gaiseanan tana mìn a' fàs.

Bha am bòrd deasaichte, agus lìon a' Sgudalair trì gloinneachan móra gu 'm beul le uisge-beatha.

"Ar deagh shlàint," arsa Coinneach.

"Slàinte mhath."

"Slàint."

Thog gach duine a ghloinne, 's chaidh an traoghadh gu luath. Rinn Nellie beagan sitrich, deòir 'na sùilean.

"Oich is oich."

"Dé do bheachd air, a Choinnich?"

"Cha robh 'n gadaich cho feumach air a' chroich."

"Suidhibh sìos a nis," thuirt Nellie. "Thusa aig a' cheann seo, a Choinnich."

Shuidh iad. Agus sgaoil a' Sgudalair a-mach a ghàirdeanan, chrom e cheann, agus rinn e altachadh:

"Dèan tròcair oirnn a tha airidh air ar lòn. Beannaich sùgh na circe, spàg na circe, agus giaban na circe. Agus gu seachd àraidh beannaich uisge na beatha seo. A' bheatha nach eil maireannach. A-mén."

"Théid do sgrios," arsa Coinneach.

"Siùth'daibh a nis," arsa Nellie.

"Théid do sgrios le teine agus pronnasg."

"An ith Teàrlach cearc?"

"Ithidh. Rud sam bith."

"Tha 'n t-uamhas a seo ... sùgh gu leòir ... chan fhaod sibh càil dheth fhàgail."

"Smaoinich ort, Ailein ... a-cheart cho ròsd ris a' bhuntàta sin."

"Seall thus a-mach air do shon-fhéin," ars a' Sgudalair. "Tha mise 's am bodach feusagach a' faighinn air adhart uamhasach math an dràsda."

"Bha mi smaoineachadh air an diugh fhéin," arsa Nellie.

"Dìon is gléidh sinn ... gu dé a dh'fhairich thu?"

"Bhiodh e bruidhinn air uaireigin, a Choinnich. Bodach a's an adhar le leabhar mór ... a' sgrìobhadh ..."

"Bhiodh."

"Agus a' fear eile ... fear an earbaill ..."

"Hah!"

"Cha do dh'iompaich sin thusa ... air dhòigh sam bith ..."

"Gu-tà Ailein," arsa Coinneach, "cha b'e sin dhut-s' e."

"Cha b'e ma-tha ... cha b'e, cha b'e ..."

An triùir ag ith; clab aig beul a' Sgudalair.

"Bha uamhasan a's an t-slighe," ars esan. "Cunnartan."

"Dìreach a dhuine," arsa Coinneach. "Mar a thuirt am bàrd: *Thug mi greis mhór, le crith 'na mo thóin.*"

"Dé?"

"Bloigh bàrdachd a thàinig thugam."

"Nach mise ..."

" 'S tu gu dearbha."

"Well, well, well ... siuthad thoir dhuinn e."

"Ith do bhiadh Ailein, agus fàg a' bhàrdachd gu rithist."

"Siuthad a Choinnich."

"Stad dà mhionaid ... tha mo cheann-s' làn bàrdachd."

Cha robh cuimhne aig a' Sgudalair air focal a sgrìobh e a riamh.

Shluig Coinneach sìos na bha fo fhiacail agus ghabh e balgam bùrn.

"Ceart a nis," ars esan. "Bloigh bàrdachd."

Thug mi greis mhór le crith 'na mo thóin
'S mi a' tionndadh bho m' chadal
Gun mhisneachd gun threòir;
An oidhche cho fada
'S mo shùil air an dorus —
Deònaich, O deònaich dhomh solus a' latha.

An oidhche cho fada
'S mi sìnte fuar reòidht —
Dèan tròcair air truaghan chaidh tuathal 'na òig,
A chunnaic na madaidh
A' briseadh troimh'n bhalla,
'S a dh'fhalbh leis air amhaich
A dh'ionnsaidh an teine —
O anam, pheacaich mi gu mór.

An uair a chrìochnaich e chaidh an triùir aca sàmhach. Bha Coinneach a' fiachainn ri cuimhneachadh

air an tuilleadh rainn; a' Sgudalair a' cagnadh nam
briathran a chuala e; agus Nellie a' beachdachadh air
praisean agus biadh.

"Chaidh e glan ás mo chuimhne," thuirt a' Sgudalair
mu dheireadh.

"Mm," arsa Coinneach.

"Co-dhiùbh …"

"Stop am biadh sin sìos do ghoile," arsa Nellie. "Do
thruinnsear a Choinnich."

"Nuair a bha mi beag," ars a' Sgudalair, "bha
oidhcheanan dhan t-seòrsa sin ann … chrùbainn ri
cùlaibh mo sheanair … 's bhiodh feagal orm … gu
h-àraid nam biodh dealanaich is tàirneanaich ann …"

"Guth Dhé."

"Sin a thuirt mo sheanmhair rium …"

"A dhuine bhochd."

"… mo sheanmhair Léinebroc. Cha robh i beò fada
as deidh mo sheanair."

Bha a sheanmhair Léinebroc air a' leabaidh ann a
Léinebroc a riamh bho bhàsaich Ailean Ruairidh an
duine aice. Bha aodach mu ceann agus beanntan de
dh'aodach mu h-uachdair — plangaidean agus
cuibhrigean a rinn a dà làmh fhéin. Bha iomadach rud
aice air a chàrnadh a-measg an aodaich: luideagan,
fuidheagan, putanan, fiucanan; snàth agus snàthadan;
bioran-fuilt; grìogagan gloinne, grìogagan fiodh,
sreangan; sgilligean-ruadh agus buinn-a-sia;
briosgaidean agus pronnagan agus botul beag le uisge-
beath an t-suathaidh a bhiodh i suathadh ri casan. Agus
air a' bhòrd ri taobh na leap bha dà leabhar mhór. Chan
fhaca duine riamh leabhraichean cho trom ri siud.
Bhiodh ise 'gam fosgladh bho àm gu àm — dhùineadh i a
sùilean an toiseach 's bhiodh a beul a' gluasad. An uairsin
thionndaidheadh i na duilleagan, a' fliuchadh a h-òrdag
le teanga.

Bhiodh a' Sgudalair uaireanan a' fuireachd còmhla ri
sheanmhair Léinebroc, agus goirid mas do bhàsaich i,
aon oidhche dhorch 's e 'na shuidhe ris an teine, nach
ann a chual iad an tàirneanaich fad ás. Cha do shaoil e

móran dheth — cha robh fiù's dealanaich ri fhaicinn.
Ach cha mhór nach do stad a chridhe an uair a chunnaic
e ceann aosd a sheanmhair ag éirigh a-mach ás an ùpraid
a bha mun cuairt oirre — a sùilean a' lasadh, thuirt i ris:
'Cluinn, Ailein ... tha an Tighearna ri labhairt ... guth
Dhé a ghràidh, guth Dhé.'

An uair a dh'innis e seo a rithist dha Seonaidh Dubh
thuirt Seonaidh Dubh gu robh a sheanmhair Léinebroc
air a subhailcean a chall.

"Eil cuimhn agad, a Choinnich, air an dà leabhar a
bh'aice ... ri taobh na lamp air a' bhòrd? 'S bhiodh sinn
a' coimhead ri na dealbhan a bh'unnta ... 's bhiodh ise 'g
innse dhuinn mu'n deidhinn ..."

"Bha dealbh an t-Sàtuinn ann."

"Bha agus ... nach robh dealbh eile ..."

"Saighdeir," arsa Coinneach. "Saighdeir le clogaid
agus claidheamh a' coiseachd troimh'n teine. Cha robh
feagal aige-san roimh'n t-Sàtunn, gu dearbha fhéin cha
robh ..."

"Robh agad-s'?" arsa Nellie.

"Agam-s'! Cho luath 's a chunna mise 'n dealbh ud
thuirt mi rium-fhìn nach robh càil air an talamh cho
feumail ri deise mhór iarainn, claidheamh is clogaid ...
Agus a riamh bho'n uairsin bha mi coimhead ri
peileachan sinc ann an dòigh ùr."

Thàinig bailc mhór de ghàireachdainn air —
gàireachdainn àrd chruaidh — 's e ri tionndadh a chinn
bho Nellie gu Ailean gu Nellie, a' dèanamh cinnteach gu
robh iadsan a' gàireachdainn cuideachd. Bha Nellie agus
Ailean gus call a mùn a' coimhead ris. Troimh thìde, co-
dhiùbh, fhuair iad air sìoladh sìos.

"Dé bha sinn ag radh?" ars a' Sgudalair 's a dhà shùil
dearg.

"Do sheanmhair Léinebroc," arsa Nellie.
"Leabhraichean a bh'aice."

" 'Se, na leabhraichean. Cha robh dealbh Dhé idir
ann."

"Cha robh," arsa Coinneach. "Ach a dh'aindeoin sin
bha fada bharrachd feagal agam roimhe-san."

"Bha 's agam-sa."

"Na rudan a dhèanadh e ann an droch nàdur ..."

"Obh-obhan."

Dh'éirich Nellie 's chaidh i gu Teàrlach le na corran.

"Pudding buidhe agus duff," ars ise.

"Woill," arsa Coinneach, "tha mi-fhìn gu stracadh."

"Ni mi balgam té a-réisd. Gabhaidh sinn an duff air ar suipeir."

"Bha chearc math dha-rìreabh. 'S am buntàta ròsd, 's na curranan ..."

"Fiach gu'm bi thu tighinn nas tric ma-tha."

"Bithidh. Bithidh gu dearbha."

Thug a' Sgudalair sgian agus spliuchan agus pìob a-mach ás a phòcaid.

"Gheibh thu mach ma-tha," ars esan, "nuair a smaoinicheas tu air, a Choinnich — 'ilfhios agad, bha mo sheanmhair-sa air a beò-ghlacadh leis an fheagal ..."

"Cha b'i na h-aonar," arsa Coinneach. "Daingead Ailein, eadar am bodach feusagach agus na bha dh'uamhasan a-muigh air an oidhche ... woill, 'se dìreach iongantas a bh'ann gu'n ghléidh duin idir a chiall 's a reusan. Dìreach iongantas."

"Bhiodh stòraidhean math aca gu-ta," arsa Nellie. Bu chaomh le Nellie stòraidhean mu dheidhinn uamhasan a bhiodh a-muigh air an oidhche.

"Stòraidhean," arsa Coinneach. "O bhrònag, cha robh a leithid eile ann."

Chuir e thuige a phìob.

"Fuirich gus a suidh mi," arsa Nellie. "Siud do chopan-s', Ailein. ... seo a nis."

Agus dh'innis Coinneach stòraidh, té de stòraidhean Dhomhnaill a' Chladaich.

"Bho chionn fhada 'n t-saoghail," arsa Domhnall a' Chladaich, agus cha chuala e-fhéin na Coinneach Beag facail cho ceòlmhor, oidhche geamhraidh air Ard-nan-Claisean.

"Bho chionn fhada 'n t-saoghail bha boireannach

àraidh agus a' nighean aice a' còmhnaidh ann am baile man am baile seo. H-abair thusa gu robh iad dòigheil, agus bha an tigh aca glan, comhfhurtail. Ach cha robh sgeul air fear-an-taighe, agus bhiodh 'ad ag ionndrainn sin, gu h-àraid nuair a dh'éireadh air a' ghaoth 's a thigeadh i le frasan trom."

"Cà robh e?"

"O, fad air falbh … cha robh fios aig duine.

"Ach tha na boireannaich cho innleachdach, 's cha robh glé fhada gus an cualar air feadh na tìr ud gu robh rùm aca dha duine sam bith a bhiodh a' lorg tàmh na h-oidhche.

"Agus air feasgar grianach samhraidh, thainig fear òg eireachdail chun a taigh — duine snog man Calum Dhomhnaill Bhàin — agus bu mhór an gàirdeachas a rinn am boireannach agus a nighean ris.

"Thug e 'n ionnairidh sin ag innse dhaibh mu dheidhinn fhéin — fear siubhal a bh'ann 's cha robh mìr dhan t-saoghal mhór nach fhac e. 'S bha a chòmhradh cho tlachdmhor 's nach do dh'fhairich an dithis eile an oidhche dol seachad.

" 'Mo chreach!' ars am boireannach, 'nach seall sibh! Tha a' latha tighinn!'

"Dh'éirich an duine gu h-obann, thuirt e gu robh esan a' dol a chadal a-nis, agus thug e àithne dhaibh gun a dhùsgadh gus am biodh an oidhche ann a rithist. Agus sin mar a bhà, fad thrì latha, 's cha robh am boireannach no a nighean ri 'm faicinn anns a' bhaile ré na h-ùine sin.

"Air a' cheathramh latha, co-dhiùbh, chan fhaigheadh a' nighean òg cadal — bha gaol mór aice air an duine 's cha leigeadh an galair sin dhith a sùil a dhùnadh."

"An e rud man galair nan cearc a bh'ann?"

"Galair nan cearc … rudeigin mar sin. Mu dheireadh b'fheudar dhith éiridh, 's bha na h-eòin a' seinn a-muigh, a' ghrian a' deàlradh ann an adhar gorm samhraidh. Agus smaoinich i air cho mìorbhuileach 's a bhiodh e a' latha mór math sin a chuir seachad còmhla rise-san, a' falbh na mòintich 's nan cladaichean, a' cadal

còmhladh an cois na tràghad. Dé b'fheàrr, ma-tha, na
dhol far an robh e agus a dhùsgadh gun fhios dha
màthair? Cha robh earbs aice 'na màthair — gu dearbha
bha i làn chinnteach gu robh a màthair a' snìomh a lìon
fhéin 'son an duine a ghlacadh. Bha i faireachdainn
naimhdeas dha màthair, agus rud nach do dh'fhairich i a
riamh roimhe: spiorad na muirt. Ach shealladh ise dhith
— bha ise òg agus làidir; cha b'ann searbh agus grànda
agus a' gearain leis an aois.

"Dh'fhosgail i dorus a' ruma far an robh an duine ri
cadal, agus chaidh i thuige gu socrach ...

"Eil seo a' còrdadh ribh, a bhalachaibh?"

"O na stad a-nis co-dhiùbh."

"An innis mi dhuibh an rud a chunnaic i? A's a'
leabaidh, air a' chluasag gheal? Cha mhór nach deach i á
cochull a cridhe, an truaghag bhochd. Bha an ceann
molach dubh sin le gàire oillteil, fiaclan, agus dà shùil
dhearg a' coimhead rithe. Chan fhaca ise no duine beò
eile càil cho goiriseachail ri siud. Mar a thachair dha
Belsasar nuair a thàinig a' chròg troimh'n a bhalla; bha
uilt a leasraidh air am fuasgladh agus bhuail a glùinean
an aghaidh a chéile. Obh-óbh-óbhan.

"Ach fhuair i neart, agus thug i a casan leatha a-
steach far an robh a màthair.

" 'Trobhad, a mhàthair, trobhad man do bheath —
an duine, an duine.' Cha d'fhuair i air an còrr a radh.
Chaill i a lùths agus thuit i seachad. 'S bha 'n oidhche ann
an uair a dh'fhosgail i a sùilean a rithist 's bha a màthair
'na suidhe ri taobh.

" 'Na dh'fhalbh e?' dh'fhoighnich i.

" 'Cha do dh'fhalbh, a ghràidh,' thuirt a màthair.
'Cha do dh'fhalbh e idir.'

" ' 'S a faca tu ...?'

" 'Chunnaic, chunnaic,' ars a màthair. 'Ach na leig
thusa càil ort nuair a chì thu nochd e.' Agus dh'innis a
màthair dhan a' nighean gu robh bodach le Dia a'
tighinn a chéilidh an oidhche ud fhéin.

"Woill, air an oidhche sin, a bhalachaibh beaga nan
clibeanan odhar, bha an duine aig àrd a ghairm — cha

robh e riamh cho éibhinn 'na chòmhradh, cho sgiamhach, tarruingeach. Bha am boireannach agus a nighean air an dalladh aige, 's cha robh cuimhn aca air a' mhaduinn. Cha mhotha bha iad ag iarraidh duine a thighinn 'nan gaoth, agus an uair a nochd bodach beag croiteach, gu dearbha cha b'e an fhàilt a b'fheàrr a fhuair e. A dh'aindeoin sin dh'fhuirich am bodach, agus aig meadhon-oidhche thuirt e gu robh esan a nis a' dol a dhèanamh focal ùrnaigh. Cha do shaoil am boireannach no a nighean càil dheth — 'sann a bha iad toilichte agus fios aca gu falbhadh am bodach cho luath 's a ruigeadh e A-mén, 's gu faigheadh iadsan an uairsin saoirsinn.

"'O Dhé uile-chumhachdaich,' thòisich am bodach. Agus chunnaic am boireannach agus a nighean caochladh a' tighinn air aodann an duine: dh'atharraich a chruth agus ìomhaigh, agus chunnaic iad a' rud grànda iargalta seo mu 'n coinneamh, a' glaodhaich 's a' sgriachail, gus mu dheireadh gun deach e suas ás an t-sealladh 'na shradagan."

"O mo chreach-s', a sheanair!"

"Sin agaibh stòraidh a bhalachaibh. Caidlibh a nis."

5

"Tha mi smaoineachadh," ars a' Sgudalair, "— ma 's
math mo chuimhne — gur ann mu'n tìd'-sa bhliadhna
bh'ann. Deireadh an fhoghair ..."

Bha an triùir aca 'nan suidhe aig an teine, a' cnàmh
na circ agus ag òl tea. Bha Coinneach air sgeulachd
Dhomhnaill a' Chladaich innse, agus bha an còmhradh a
nis air a dhol gu Seonaidh Dubh, seanair a' Sgudalair.

"Thug e mhaduinn ud a' falbh nan cladaichean — e
fhéin 's an cù buidhe ..."

"Gu dearbha cha robh sin 'na annas dhaibh," arsa
Coinneach.

"A woill cha robh ... Nach ioma maduinn a
dh'fhalbh mi còmhla riutha ... glé thràth a-steach
Rathad nan Caorach 's a-null chun an Dùin. Bhiodh mise
'na mo shuain ann an cùl na leap sin, agus dhùisgeadh e
mi: 'Siuthad thus, a bhalaich bhig,' chanadh e, 'crath
dhìot an cadal.' An còmhnaidh an aon rud: 'Crath dhìot
an cadal.' Bhiodh an teine air a thogail aige, agus biadh
air a' bhòrd.

"Co-dhiùbh, thachair seo nuair a bha mise ... O cha
bhithinn ach mu thrì bliadhna ... deireadh an fhoghair.
Bha e air an t-slighe dhachaidh. 'S cha b'ann gun eallach
mhath air a dhruim."

"Man an t-each, cho làidir."

"Man an t-each. Shlaodadh e na tha 'sa' Chuan Siar,
mo sheanair-sa. Woill co-dhiùbh, a' gabhail a-null gu
Buaile-na-Crois a bha e, suas Tom na Spréidheadh far am
biodh 'ad ag àiteach ... 's có chunnaic e ach Seòras
Alasdair a' buain shnéapan."

"Seòras Alasdair 'An 'Ic Sheumais."

"Seòras ... Ach aig a cheart àm chunnaic e caoraich — dha-na-thrì a bha dhìth air, 's chaidh e air an tòir leis a' chù. Cha robh mionaid ann gus an d'fhuair e chun a' rathaid 'ad — cha robh, mionaid — 's bha làn dùil aige gu'n tigeadh Seòras a thoirt cuideachadh dha ... Ach cha b'ann mar sin a bha — cha robh sgeul air Seòras. 'S chuir sin fìor-ìongnadh air mo sheanair. Tha fios agad fhéin, a Choinnich, cho brais 's a bha e?"

"Tha."

"... Woill cho luath 's a ràinig e Bhuaile, a-steach leis a thigh Sheòrais. 'Gu dé,' ars esan — guth àrd aige — 'Gu dé a' chabhaig chac a bh'ort-sa?' 'S tha col 'ach gun rinn e trod mhór, a' siamadh dha Seòras 's a' càineadh na bhuineadh dha. Cha robh a's an tigh ach Seòras fhéin agus Seonaid a phiuthar — daoine solt, modhail. 'Od-od, a Sheonaidh, od-od ...' bhiodh e-fhéin a' dèanamh guth Sheòrais dhuinn, 'Od-od-od, a Sheonaidh, tha thu 'ga do chall fhéin — cha robh mise faisg air snéap an diugh ...' 'S bha dearbhadh aig Seònaid air a sin: thug iad a' mhaduinn a' taghadh sìol-cur 'son an t-sloc bhuntàta.

"Deireadh na seachdainn sin, fhuairear Seòras marbh a's a' chlàr-shnéap."

"O dhuine bhochd."

"Chaidh Seonaid a dh'iarraidh dhaoine 's thug na daoine dhachaidh e."

"Well, well."

Coinneach a' lìonadh na pìob:

"Nach b' àraid an duin' e."

"Có?"

"Do sheanair."

"An dùil," arsa Nellie, "an e 'n fhìrinn a bh'aige? Gu fac' e Seòras a's a' chlàr-shnéap?"

"Bhiodh e faicinn rudan co-dhiùbh."

"Nach deach e fo ghiùlain trup? A's a' Gharadh Dhubh?"

'Cha b'ann ach air Rathad Aonghais 'Ic Dhomhnaill — goirid mas do bhàsaich an Glaisean."

"Chaidh 's a's a' Gharadh Dhubh."

"Cha chreid mi gu-tà ... seadh ..."

"Chaidh … tha cuimhn agam-fhìn air a' bruidhinn air — cuideam eagallach a's a' chiste, chaidh 'ad am bogadh leatha aig Blàr a' Chiop Dhuibh …"

"Cha chuala mi 'n té sin a riamh aige … co-dhiùbh, cha robh taobh a dheidheadh e nach biodh rudeigin …"

"Bhiodh 'ad ag radh nach do dh'innis e riamh sgeulachd gun na h-uidhir a chuir rithe."

"Bhiodh … 's bheireadh e chreids' rud sam bith ort … ach a dh'aindeoin sin, b'fhiach éisdeachd ris."

Nellie a' fighe stocainn chloimh:

"Nach robh sgeulachd a-choireigin eil' ann," ars ise, "mu dheidhinn Sheòrais sin? Nuair a chaidh e dhan a' chladh a dh'iarraidh clagunn …"

"Cha b'e, cha b'e, cha b'e," ars a' Sgudalair. "Athair Sheòrais a bha sin … chaidh e dh'iarraidh a' chlaguinn dha Màiread a phiuthar."

"Màiread Bheag an t-sabhail."

"Bha na daoine sin càirdeach dhuinne," ars a' Sgudalair. "Clann 'Ic Sheumais sin."

Thug e dheth na speuclanan agus theann e 'gan glanadh.

"Bhuineadh mo sheanmhair dhaibh," ars esan. "Mo sheanmhair Léinebroc. Mura h-eil mise air mo mhór mhealladh 'sann le te de nigheanan 'An 'Ic Sheumais a bha mo sheanmhair … mo sheanmhair agus Seòras Alasdair a-réisd clann a' phiuthar 's a' bhràthair … m'athair agus Iain Sheumais Alasdair na h-oghaichean."

"Có Iain Sheumais Alasdair?"

"An Traon."

"An Traon?"

"Seadh, an Traon. Iain Sheumais Alasdair 'An 'Ic Sheumais."

"Tha thu ceàrr," arsa Coinneach. "Tha thu fad do dhroma ceàrr."

Bha iad a' coimhead a chéile, a' smaoineachadh.

"Chan eil mi ceàrr idir," ars a' Sgudalair, an ceann greis.

"Tha thu 'g radh," arsa Coinneach, "gum b'e d'athair agus an Traon na h-oghaichean."

"Tha."

"Do sheanmhair agus Seòras Alasdair clann a' phiuthar 's a' bhràthair."

"Tha."

"Gur ann le nighean 'An 'Ic Sheumais a bha do sheanmhair."

"Seadh."

"Tha thu ceàrr."

"Ciamar?"

"Tha thu ceàrr. Thàinig do sheanmhair — bean Ailein Ruairidh — thàinig i ás Léinebroc. Bhuineadh i dha na Bànaich a bh'ann a-sin."

"Bhuineadh. Seann Dhomhnall Bàn a b' athair dhith, 's bha esan pòsd aig té de nigheanan 'An 'Ic Sheumais."

"Cha robh. Tha thu ceàrr."

"Ciamar?"

"A chula ciamar."

"Dé riabhach ort a seòrsa freagairt a tha sin!"

"Cha robh aig Iain 'Ic Sheumais ach an aona nighean. Màiread Bheag an t-sabhail. Alasdair bu shine, Iain a-rithist, 's an uairsin Màiread Bheag — cha robh 'n còrr ann. 'S cha do phòs Màiread Bheag a riamh — bha i a's an t-sabhal agus bhàsaich i a's an t-sabhal. Le Alasdair a bha an tigh, 's bha triùir a theaghlach aige-fhéin: Seòras, Seumas, agus Seònaid. Tha sin a' fàgail Iain — Iain Iain 'Ic Sheumais. Agus càite robh esan a' fuireachd?"

"Ann a Léinebroc."

"Dìreach. Ann a Léinebroc, pòsd aig piuthar Mhurchaidh Bhàin, màthair do sheanmhair. Do sheanmhair a réisd agus Seòras Alasdair 'An 'Ic Sheumais clann an dà bhràthair."

"Agus có bhean a bh'aig seann Dhomhnall Bàn?"

"An robh bean aige?"

"Gu sealladh Dia ort a dhuine."

Stad an còmhradh. Cha robh duine dha'n dithis glé chinnteach, ach cha b'e nì annasach a bha sin an uair a thigeadh an gnothuich gu càirdeas. Chuir iad smùid ri na pìoban, mar gun greasadh seo fuasgladh dhan a' cheist thuaireapach a bha aca.

"Tha mo cheann fhìn 'na bhrochan co-dhiùbh," arsa Nellie. Agus sheall an dithis rithe. Cha robh iad 'ga faicinn. Dh'fheumadh i an tilleadh gu sgeulachdan, gu bàrdachd, gu rudeigin — rud sam bith ach càirdeas: oghaichean agus iar-oghaichean, seanairean agus dubh-sheanairean, an eanchainn a' cuir nan car-a-mhuiltein 's a' bhruidhinn a' tighinn gu éigheachd dhaibh. Rug i air a' phoit-tea. Is beannaichte luchd-dèanamh na tea agus na sìthe.

"Balgam eile, Choinnich? Ailein?"

"O, glé mhath."

"Bha thu bruidhinn," ars ise, "air an fhear a chaidh a dh'iarraidh a' chlaguinn."

"Dé?"

"Seoras Alasdair."

"A well, well," ars a' Sgudalair, a' crathadh a chinn, "Dé math dha duine bhi 'g innse cail idir dhut-sa ..."

"Alasdair fhéin a bh'ann, Nellie," arsa Coinneach.

"O 'se. Alasdair ..."

Alasdair, am mac bu shine a bha aig Iain 'Ic Sheumais, bràthair dha Iain agus dha Màiread Bheag an t-sabhail. Bha an tinneas air Màiread — an tinneas tuiteamach — agus bhiodh iad ag radh gur e obair an t-Sàtuinn a bh'ann. Ach chuala Alasdair gu fàsadh Màiread Bheag gu math nan gabhadh i deoch de dh'uisge fuar anns am biodh clagunn duine air a bhogadh. Agus dh'fhalbh e air an oidhche, tarsuinn Rathad nan Caorach chun na Lochan Sgeireach, agus Siar gu Cladh Thómais.

"Gabh thusa beachd air," ars a' Sgudalair, "a' cladhach ann a siud leis-fhéin a's an dorchadas, fuam na mara 'na chluasan ... a' lorg clagunn geal cruaidh dha Màiread."

Fhuair esan sin. Agus thug e dhachaidh e. Ghlan e ùir na talmhainn dheth, chuir e am bogadh ann am peile-sinc e, agus chaidh e gu Màiread le deoch.

Cha robh fios aig duine an fhuair Màiread bhochd saoirsinn, ach aon nì fìor, cha robh saoirsinn an dàn dha Alasdair an oidhche ud. Dh'fhàg e an clagunn air bòrd an dreasair 's chaidh e dhan a' leabaidh — dhèanadh e

moch-eiridh agus thilleadh e an clagunn mus gluaiseadh
duine a-mach á dorus. Sin a bha 'na rùn, ach óbh-óbh-
óbhan ... Chaidh a dhùsgadh troimh'n oidhche agus,
mar a chanadh Seonaidh Dubh, fhuair e e-fhéin air a
dhùmhlachadh. Dh'aithnich e gu robh rudeigin nach
robh ceart a-stigh còmhla ris ... bha rudeigin nach
robh ceart a' strucadh ann ... a' buntainn ri chiall 's ri
reusan ...

An oidhche sin chuala iad ann an Ard-nan-Claisean
Alasdair ag éigheach nan creachan. Bha ghaoth bho'n
Earadheas agus Alasdair na Buaile a' glaodhaich, a'
glaodhaich, gu bràth gus an duirt an guth socair ciùin seo
'na chluais: 'A' rud nach buin riut, Alasdair, na buin
dhà.'

"Fhir na faire," arsa Coinneach, "ciod mu'n
oidhche?"

"Dé thuirt thu?" ars a' Sgudalair.

"Earrainn a thainig thugam. Na chuir a' stòraidh ud
feagal ort, Nellie?"

Rinn i gàire.

Bha i air a dòigh ag éisdeachd riutha, agus bha iadsan
dòigheil cuideachd. Dh'éirich i a leigeil a' chait a-mach.
Bha dorus tigh-nan-cearc ri dhùnadh, agus bha trì uain
anns a' bhàthach ag iarraidh riarachadh. Cha robh an
crodh an urra rithe air a' gheamhradh ann, ach bhiodh i
'gan ionndrainn.

Chunnaic i gu robh bloigh gealaich a' nochdadh. Bha
na rionnagan man a bha iad a riamh. An oidhche cho
séimh ...

Am broinn an taigh, bha Coinneach agus Ailean a'
coimhead dhan an teine.

"Seadh an Traon, arsa tusa," thuirt Coinneach.

" 'Se. Traon Sheumais Alasdair."

"Chaidh e glan ás mo chuimhne, an duine sin."

"Chaidh e dhan an Talamh Fhuar. Bha mi seachd
bliadhna nuair a dh'fhalbh e."

"A mheasg nan daoine dearga."

"Domhnall a' Chladaich a bhiodh ag radh sin, gur e
daoine dearg a bh'ann. Ach an Traon ... O bhalaich ort!

… cha robh ann dhàsan ach saoibhreas agus beartas. Bha
mi ann a' mullach na cruach-mhònaich a' latha
dh'fhalbh e, 's cha do charuich mi gus an deach e-fhéin 's
an t-each 's a' chairt ás an t-sealladh a-mach Garadh
Shanndaidh."

"Seadh gu dearbha."

"Bha mi glé dhuilich as a dheidh, 's cha robh uair a
sheallainn gu muir nach bithinn a' cuimhneachadh air
a's an Talamh Fhuar còmhla ri daoine móra beartach."

"Tharraing an t-àite sin gu leòir ás a seo."

" 'S cha do thill duine."

"Cha do thill."

" 'Se rud glé chianail a th'ann … a' faicinn nam
ballachan ud a' dol fo thalamh uaine …"

"Gle chianail dhuinne, a chunnaic na chunna sinn."

> Léinebroc, 's an Dùn …
> Buaile-na-Crois
> agus an Airidh Ghlas
> — sàmhach a nis.

Bha bodach air an Airidh Ghlas ris an canadh iad an
Glaisean. Bha casan na briogais aige air an tionndadh
suas ma chalpannan agus ròpa-siaman ceangailte mu
mheadhon. Bhiodh e a' sùghadh snaoisean suas troimh
shròin, agus a' guidheachdan gun sguir — a'
guidheachdan ris a' chù a bh'aige, ri na cearcan, ri
bhean, ris an t-saoghal, agus ris-fhéin.

Cha robh an Airidh Ghlas ach mu leth mhìle a-mach
an gleann bho Ghil-a'-Chlamhain, agus bhiodh a'
Sgudalair a' dol a chéilidh ann a chula latha.
Dh'ionnsaich e focail mhath bhon a' Ghlaisean agus aon
latha leig e ás sruth dhiubh anns an tigh aca fhéin. Thug a
mhàthair dha i mu tholl na cluais, agus dh'ionnsaich e an
uairsin gur e focail a bh'annta a bhiodh tu ag radh gun
fhiosd, leat fhéin. Bha sin buileach math. 'S bhiodh e
spàgail a-measg a' fhraoich, eadar a' Ghil agus an
t-Slugaide Ghorm, a' bruidhinn ris fhéin am briathran
diamhair a' Ghlaisein: 'Tigh na galla, O tigh na buids'
ort …' a' coimhead gu faiceallach gu chùlaibh gun fhios

nach robh duine-mór a' spàgail a-measg a' fhraoich cuideachd.

Tigh dorch a bh'ann an tigh a' Ghlaisein. Cha robh solus a' latha a' bualadh orra ach troimh aon tholl — toll nan cearc — 's bha na cearcan a-mach 's a-steach mar a thogradh iad. Nuair a thigeadh an tìde fhuar, thigeadh na luchain, agus bha deargadan aca co-dhiùbh, biodh i fuar no teth. Thug esan feadhainn dhachaidh leis, 's bha iad anns a' leabaidh aige, fo chluasag — math dha-rìreabh a bhi coimhead riutha a' leum bho àite gu àite; ach dóruinneach a bhi 'ga do thachais fhéin fad na h-oidhche. Na deargadan a b'fheàrr na na miallan gu-ta … 'Clann an diabhuil sin,' chanadh an Glaisean. Bha miallan gu leòir a' faighinn an àrach 'na fheusag-san agus 'na cheann cléigeach geal.

An trup mu dheireadh a chunnaic a' Sgudalair e, bha e 'na shìneadh air a' bheing — mar bu mhinig a bhà — le bhonaid sìos mu shùilean. Bha a bhean a' gurraban anns an dorchadas, an tigh cho dorch 's iad-fhéin cho aosd.

'Chunna mi aisling a raoir,' ars ise. 'Bha thu ann an ifrinn.'

Thog an Glaisean bil a bhonaid:

'A Dhia,' ars esan, 'cà robh dùil agad am bithinn?' agus gun an còrr a radh, chaidil e.

Làirne mhàireach chaidh a' Sgudalair a Léinebroc, a thigh a sheanmhair. Bhàsaich an Glaisean fhad's a bha e ann, agus thàinig daoine chun an tiodhlaiceadh — càirdean — rudeigin mar sin, chan fhac a' Sgudalair a riamh roimh'n a sin iad. Thug iad leotha bean a' Ghlaisein agus dhùin iad an tigh. Cha robh sin furasd, a bhi faicinn tigh dorch a' Ghlaisein cho dùinte ris an uaigh; tobair agus saoibhear a' Ghlaisein 's gun an Glaisean fhéin ann.

Agus thàinig an aon sàmhchantas air an Dùn, air a' Bhuaile, agus air Léinebroc. Domhnall Beag Aonghais 'Ic Dhomhnaill agus Catriona; Clann 'An 'Ic Sheumais agus muinntir Mhurchaidh Bhàin — chaochail 'ad uile. 'S bha iadsan iad-fhéin aosd a nis, 'nan triùir, 'nan aonar, a' coimhead dhan an teine, agus a' cuimhneachadh …

"Bha oidhcheanan mór air an Dùn," ars a' Sgudalair.

"Bha 's maduinnean."

"Aonghas Mhurchaidh Bhàin leis a' phìob ... tha col'ach nach robh shamhail ann."

"Bràthair-athair dha'n fheadhainn a dh'aithnicheadh tusa Nellie ... dha Aonghas is Calum."

"O seadh," arsa Nellie. "Esan."

"Bha mi bruidhinn air bho chionn ghoirid," ars a' Sgudalair. "An tigh aige ri taobh tigh mo sheanmhair ... bhiodh e 'na shuidhe le làmhan air a ghlùinean ... a dhruim dìreach ... mar seo ... a' coimhead rium.

'Dé man a tha balach beag a' ghlinne an diugh? Eil do sheanair air a chasan?' 'S bhithinn-s' a' feitheamh, fios mhath aige carson ... 's cho luath 's a bhiodh an còmhradh seachad, an dithis againn a' coimhead a chèile, thogadh e aona mhanachan agus leigeadh e braim."

"Ha!"

"Chan fhalbhainn gu bràth gus a leigeadh e 'm braim."

"Chan fhalbhadh ..."

"Siud na chuala mis a cheòl aige. Ach bhiodh 'ad ag radh gu robh e 'na phìobaire air leth math."

Agus b' àlainn a chluicheadh e air an Dùn, air na h-oidhcheanan mór ud is MacBrìde 'san tìr.

MacBrìde: pòiteir fiona agus deoch làidir; fear a shiubhail a' saoghal 's a fhuair blàths agus coibhneas bho Chatriona Bhàn Aonghais 'Ic Dhomhnaill. Latha mór a bh'ann a' latha nochdadh MacBrìde le bhaga dubh — sìos Garadh Shanndaidh 's a-steach gu Gil-a'-Chlamhain.

"Bhiodh mo sheanair," ars a' Sgudalair, "a' dol còmhla ris chun an Dùin, 's chan fhaiceadh sinn tuilleadh e gu feasgar an ath latha. Tha cuimhn am air mo mhàthair a bhi 'g radh rium: 'Nach seall thu air an diol-déirig a ghraidh. Fad a' latha air an uinneag 's a shùil a-mach airson baga dubh MhicBrìde.' "

"Thàinig e dhan tigh againn uair," arsa Coinneach. " 'Well, well,' thuirt e ri m'athair. 'Well, well, well, a Choinnich, cà bheil am pìgean?' "

Bha geòla bheag aig MacBrìde. Agus aon latha leig a

mach gu àird a' chuain i 's chan fhacas a riamh tuilleadh
e. 'S rinn Catriona Bhàn abhran dha.

"Thoir dhuinn abhran Chatriona," ars a' Sgudalair.

"Ceart gu leòir," arsa Coinneach, "abhran
Chatriona."

> O MhicBrìde gur cruaidh oirnn
> a' sgeulachd a chualas an dé;
> chan fhaic mu thu tuilleadh
> a' tilleadh le suigeart 'nad cheum.
> 'S cha chluinn mi do chòmhradh
> bha tlachdmhor an còmhnaidh leam fhéin
> 's ged a lìonainn a' ghloinne,
> cha bhiodh i ach searbh ri mo bheul.
>
> Och gur dorch leam a' mhaduinn
> 's mi gun chadal a' sileadh nan deur,
> 's mo smuain air a' fhleasgach
> bha uasal is taitneach 'na bheus;
> tha thu nis 'na do laighe
> an doimhneachd na mara leat fhéin —
> O MhicBrìde nach truagh leinn
> a' sgeulachd a chualas an dé.

"Sin thu-fhéin a Choinnich," ars a' Sgudalair.

"Catriona bhochd," arsa Nellie.

"Thoir dhomh do ghloinne. 'S math is fhiach thu làn
do bhroinn."

"Mo thearmunn is mo neart," arsa Coinneach. "Air
do shlàint."

"Bha abhran," arsa Nellie, " 'na mo cheann fhìn an
diugh, fad a' latha."

"Tha làithean agus abhrain mar sin ann," thuirt a'
Sgudalair.

"Dé man a tha rann seo a' dol? Fuirich a nis ort ...
A' rann seo: Dé gad gheibhinn-sa tigh is oighreachd ...?"

Thòisich Coinneach air:

> Làn de dh'airgiod 's de dh'òr 's de dhaoimean
> 'S mac a' rìgh a bhi air 'na oighre,
> Gum b'fheàrr leam fhìn

A bhi sìnte 'n raoir leat ...

's cha robh glé fhada gus an robh an triùir a' seinn, 's bha
'n oidhch air Gil-a'-Chlamhain.

Bha 'n oidhche socair, carthannach. Thàinig a mhùn gu
Teàrlach agus chaidh ise cuairt leis sìos chun na h-aibhne.
Dheanadh i fhéin a mùn cuideachd, agus an uairsin
dh'éisdeadh i ris an oidhche mun cuairt oirre, Teàrlach
a' snòtaireach.

Dh'fhàg i Coinneach agus Ailean a' bruidhinn. An
uair a thilleadh i, ghabhadh iad an t-suipeir — am
pudding buidhe agus an duff — no 's dòcha, nam biodh
iad ro làn, mìr-corc agus bainne. Bhiodh sin na b'fheàrr,
mìr-corc agus bainne, neo 's dòcha lit agus bainne —
bha na stamagan ag iarraidh cùram, 's cha b'fhiach
a' losgadh-bràghad.

Dh'fhalbh gaoth air a' Sgudalair; Coinneach a'
bruidhinn:

"... chan eil fiaclan innte," arsa Coinneach. "Chan eil
aon. Ach bheir mi dhith aon bhliadhn eile gun fhios nach
bi uan boireann aice."

" 'Ne rùda breac?"

"Chan e. Leigidh mi a' reath' thuice dhan trup-sa."

"Chan eil e càirdeach dhith?"

"Chan eil. An Fhìor-othaisg a mhathair. Thainig ise
bho Chaora Ruadh Dhìobadail."

"An Fhìor-othaisg?"

"Caora Bheag na tràghad, daingead, Ailein. Na
caoraich bho'n dàinig an Fhìor-othaisg ... pìatan bàn
Bhréitheascro ..."

"O seadh, seadh."

"Cha do rinn Caora Bheag na tràghad no gin a
bhuineadh dhith móran air mòinteach a riamh. Chan
fhuireadh 'ad ann."

"Caoraich mhath."

"Cha robh na b'fheàrr. Cha robh na b'fheàrr."

"Woill," ars a' Sgudalair, "tha mi 'n dòchas gu faigh
thu uan boireann bhuaipe."

"Na faigheadh ..."

Chuir a' Sgudalair móine mun teine.

"Cuine tha dùil agad," ars esan, "na h-uain a thoirt a-steach?"

"Na h-uain? Tràth gu leòir ..."

"Tha 'ad aig Nellie a-stigh bho chionn seachdainn."

"Tha."

"Chan eil spùt aice. Carson, arsa mise, air sgàth nì math, a tha thu cuir nam beathaichean sin a-steach an dràsda — deireadh an fhoghair? Deireadh an fhoghair, ars ise, 's col'ach ri bàrr do shròin e. An còrdadh e riut-fhéin a bhi air an t-sitig samhail nan oidhcheannan seo? 'S cha robh 'n còrr mu dheidhinn — dé math dhut?"

"Dìreach, a dhuine, dìreach."

"Ach ge b' oil leatha, marbhaidh sinn a' mult am bliadhna."

"An cóig-bhliadhnach!" thuirt Coinneach.

"An cóig-bhliadhnach. Chan eil ann ach arrachd beathaich, nach do charaich a riamh ás na dìgean. Feum a dh'òrdaich Dia chan eil a siud."

"Cuine mharbhas sinn e?"

"Uair sam bith."

"Tha miann agam-fhìn air maragan."

"Tha mi coma gad a mharbhadh tu màireach e."

" 'S tusa gheibh do dhonas."

"Dragh."

" 'S an uairsin bi tigh-fhaire agaibh — fad seachdainn co-dhiùbh, a' caoidh a' mhuilt."

"Dragh. Cha ghabh a leasachadh."

"Tha i ro cheangailte riutha."

"Tha."

Thug Coinneach sùil air.

"Ceart ma-tha," ars esan. "Nuair a thig thu-fhéin 's a' mult a màireach bi a' sgian agam-sa air a gleusadh, bòrd a' mharbhaidh 'na àit ... Cuidichidh mi-fhìn thu leis an fhuil 's leis an duis, 's bi maragan math againn an t-seachdainn-sa tighinn."

"Glé mhath," ars a' Sgudalair. Ach bha fios agus cinnt aig Coinneach nach buaileadh a shùil air a' mhult

a' cheud ghreis, 's gum biodh Ailean a' tighinn le na
leisgeulan a chula maduinn: chan fhaighinn lorg air a
Choinnich ... dh'fhaillich e orm aig an fhaing ... bha sinn
dìreach a' falbh nuair a nochd Nellie. Leisgeulan Ailein.
Mu dheireadh chanadh e gun choisinn a' mult buaireadh
mór eadar e-fhéin agus Nellie — b'fheudar dha innse
dhith 's chaidh i ás a ciall — agus seach nach robh esan,
aig aois, fulangach air faobhar a teanga, bhiodh e cheart
cho math dhaibh a' mult a shaoradh o'n chlaidheamh
airson bliadhna mhór eile.

Cha robh e comasach dhan a' Sgudalair cron a
dhèanamh air creutair cruthaichte. Dh'fhág sin
Coinneach 'na mhàl a' bàthadh phiseagan, a' tachdadh
chearcan, agus a' spoth nan uan 's 'gan comharrachadh.
Am bàrr deas, beum foidhp', slisinn a's a' chluais
taisgeil ...

An uair a bha iad beag, bhiodh Coinneach a' fanaid
air seach nach cuireadh e boiteag air dubhan.

'Agus an còrdadh e riut-sa,' thuirt a' Sgudalair, 'an
còrdadh e riut, nan tigeadh biasd mhór de bheathach le
biasd mhór de dhubhan ... 's gun cuireadh e steach
troimh mhullach do chinn e, sìos troimh do mhionach 's
a-mach air do thóin?'

Smaoinich Coinneach air a seo, agus an uair a thainig
an triuthach air chunnaic e an dearbh bheathach agus an
dearbh dhubhan air na bhruidhinn Ailean. Cha robh sin
cho math idir. Ach math no dona, cha do dh'fhairich
esan mór-thruas ri boiteag 'na bheatha, agus a thaobh
nan cearcan 's nan caorach — woill, b'e gné an duine a
bhi muirt 's a marbhadh 's a' lìonadh a bhroinn gu ìre
stracadh. Na boiteagan a b'fheàrr dheth aig a' cheann
mu dheireadh co-dhiùbh.

"Dé 'n fheadhainn a tha thu-fhéin a' marbhadh?"
dh'fhoighnich a' Sgudalair.

"Woill," ars esan, "tha mi toirt bliadhna eile dha
Caora Bheag na tràghad ... tha 'n uairsin a' Bhlàrag —
nach eil? – agus an Tóbach ... agus a' Chaora Sgrogach
— na trì sin, seachd bliadhna nach e? An aon aois ris a'
chaora cheann-dubh agad fhéin."

"Ochd bliadhna ma 'se sin a tha 'ad."

"Ochd bliadhna."

"Eil thu marbhadh nan trì?"

"Chan eil fhios 'am. Caoraich mhath."

Dh'éigh Nellie riutha bho'n dorus a-muigh.

"Tróidibh! Gealach deireadh oidhche. Tha i brèagha dha-rìreabh."

"Air do bheatha-bhuan a nis," ars a' Sgudalair 'na chluais, "na leig guth ort gun deach bruidhinn air a' mhult."

"An téid sinn a dh'fhaicinn na h-oidhche?"

"O théid, théid gu dearbha."

"Nach iongantach a' rud e," arsa Coinneach, "duine ràinig do latha air an talamh, nach do leig thu fhathast seachad na caran sin ..."

"Isd mas cluinn i thu."

"... Co-dhiùbh, an car a bha 'san t-seana-mhaide ... càite facas duine cho seòlta ri d'athair, agus athar fhéin roimhe."

"Isd a nis."

Bha 'n oidhche brèagha gun teagamh.

Cha robh deò gaoith ann.

Na h-eòin agus gach ainmhidh dha robh a' mhòinteach mhór ud ri toirt fasgadh 'nan cadal-suain. Bhiodh feadhainn aca air falbh — eòin an t-samhraidh: an topag 's an fheadag, chan fhaiceadh 's cha chluinneadh tu iad gus an tigeadh sìneadh agus blàths dhan a' latha a rithist. 'S cha mhotha chitheadh tu na teilleanan ... na cuileagan ... cà robh na greumairean 's na meanbh-chuileagan, clann an donais?

Nan tigeadh fear foghaidneach, foghlumaicht ...

Bha i soilleir, glan. Bha na fir-chlis 'san àirde Tuath, agus na rionnagan. ... uaireigin 's tu coiseachd a' rathaid shaoileadh tu gu robh thu 'nam measg.

"Rionnag an earbaill," arsa Nellie.

"Cha chreid mi nach eil i reothadh," arsa Coinneach, "tha 'n adhar sin cho glan."

"Glé chol'ach ris."

"An aithnich thu gin, a Choinnich?"

"Rionnagan?"

"Seadh."

"Eil thu faicinn na seachd sin … seall, shuas an taobh-sa … man sgeileid …"

"An Crann," ars a' Sgudalair.

"An Crann. Agus seall … trobhad … eil thu faicinn an gròileagan beag sin nas fhaid ás na càch … aon a's a' mheadhon, agus aon, dhà, tri … sia timchioll oirre?"

"O tha."

"Sin an Grioglachan. Chan aithnich mi 'n còrr."

"Venus," ars a' Sgudalair.

"Càite?"

"Shuas a sin … an àiteigin …"

"Nach iad a tha geal a nochd."

"Nach iad gu-tà."

Sguir an còmhradh. Bha gach duine aca a' faireachdainn seòrsa de chianalas, ag ionndrainn oidhcheanan eile agus oidhcheanan nach robh a riamh ann. Ach bha iad toilichte cuideachd; toilichte a bhi fhathast beò agus a leithid seo fhaicinn agus fhaireachdainn a rithist; toilichte a bhi còmhladh ann an Gil-a'-Chlamhain a' cluinntinn fuam na h-aibhne agus na b'fhaide air falbh fuam aosd na mara.

An ceann greis chaidh Nellie a-steach.

"Tha 'n oidhche seo," arsa Coinneach, "a' toirt bloigh bàrdachd eile gu mo chuimhne. Bardachd a rinn thu-fhéin …"

"Dé bh'ann?"

"Oidhche le sneachd … oidhche shoilleir … 's fhada 'n t-saoghail bho rinn thu e."

"Oidhche le sneachd."

"Cha chuimhnich mi air."

"Tugainn a-steach. Bi e a's a' chiste."

"Tugainn ma-tha."

Bha a chula seòrsa rud a's a' chiste: òrd-chlach agus òrd-ladhrach; croman, corran, ceap-bhròig, agus tairgean lùbach, ruadh leis a' mheirg; rifeidean is banndaichean is cnagan-doruis; cruidhean na làir bhuidhe, a' làir mu dheireadh a bh'aca; càrdan, croisiarna, dealgan is maide-siubhail; bacan airson dàthadh chinn, branndair treun nam bonnach. Bha sìoman-fraoich innte, agus adhairc na bà chiar; fiaclan ràcain, ràsar is deimhis; tacaidean, pinteagan, bioran-fuilt a bha aig Goromal; slacan-pronnaidh a' bhuntàt agus deagh chlàr-fuine.

Bha bàrdachd a' Sgudalair innte, agus fàileadh na deathaich dhith.

"Oidhche le sneachd," ars esan. "Seo e. Fhuair mi e." Nellie a' cuir mun cuairt a' lit. Ghlan e na speuclanan agus leugh e dhaibh e:

A nochd tha am baile sàmhach
oidhche bhrèagha gealaich;
's tha a' sneachda glan àillidh
gu h-aotrom a' laighe
air mullach nan taighean, air bàrr a' bhalla,
's a' dìreadh an àirde
aig bonn an doruis.

A nochd cha chluinn thu ach fuam na mara,
na tonnan trom
a' tighinn 'nan deann gu cladach;
's cha bhi bàta ri fàgail cala —
na lìn paisgte
na bucais falamh
an t-iasgach seachad.

A nochd tha a' mhòinteach aognaidh
's tha fead na gaoith
troimh na glinn 's na bealaich;
na h-uillt 's na lòintean
's na lochan reòidhte
's gach creutair beò
a nis marbh 'na chadal —

'S tha a' sneachda gun fhiosd a' laighe
air mullach nan taighean
's air bàrr a' bhalla;
a' saoghal gu léir air ùr-ghlanadh
an oidhche àluinn gealaich seo.

Agus dh'iarrainn sìth
a bhi a nochd 'nad chòir
is aoibhneas nan clann òg
's a' mhaduinn.

"Cuine rinn thu fear sin, Ailein?"
"Nuair a bha mi òg is èasgaidh," ars esan. " 'S fhada
bho'n uairsin — 's fhada, 's fhada ..."
"Tiud, fiach an isd thu ..."
"Tha mi déanamh fear eile an dràsda."
"Bheil?"
"Tha. Rinn mi cheud rann 's an té mu dheireadh."
"O rinn, rinn. Chuala mi a's a' mhaduinn e:

Na fiùrain bha bòidheach
tùrail is dòigheil
chaochail iad uile
's tha sinne leinn fhìn.

Siud e, nach e?"
" 'Se. Bheir mi iormadh orra gu léir."
"Oran mór."
"Gun teagamh."
"Seo dhuibh ar lit ma-tha," arsa Nellie.

Bha i glé fhada dha'n oidhch, an oidhche mhath.
Na sùilean aca trom, a' coimhead an teine ri dol sìos.
Sgìos agus miaranaich.
B'fhada 'n t-saoghail bho dh'éirich iad, bho chunnaic
iad a' mhaduinn gheal. Na làithean a nis dhaibh-san cho
fada ri freasdal, làithean a chaidh seachad cho luath.
Rug an aois orra mu dheireadh thall.
Ann an ùine glé aithghearr bhiodh a' sgeulachd air a
h-innse. 'S cha bhiodh an còrr ann ...
Chaidh Nellie dhan a phreas a dh'iarraidh nam botuil
theth. Greis mhór bho nach do chaidil duine aig an teine,
ach bhiodh a' leabaidh blàth ... bhiodh gu dearbha. ...
Chan fhaigheadh a' fuachd grànda gu cnànhan
Choinnich idir.
A' fuachd bu dorra dhaibh. A' fuachd a thug bàs dha

Goromal agus dha Calum Bàn ... a' tòiseachadh 'na do chasan agus a' sgaoileadh suas troimh do chorp gu léir. Dhùisgeadh i air an oidhch 's bhiodh a casan fhéin cho fuar ris an deigh, agus cràidhteach, gort. Theann i a' cleachdadh stocainnean oirre anns a' leabaidh ach a dh'aindeoin sin, bhiodh a' fuachd mar a' chnuimh ag ith a-steach gu cnàmhan.

B'fheàrrd i Ailean gu-ta. Bha teas gu leòir ann. Ré a' gheamhraidh bhiodh a gheansaidh moban air innte — gearainneach agus fàileadhach an uairsin esan, ach h-abair teas.

Dhèanadh i geansaidh ùr dha, agus stocainnean dha Coinneach. An geamhradh marbhteach a' tighinn orra a rithist, na làithean dubh dorch a bha duilich dhaibh.

Dhèanadh iad ullachadh.

"Bi cho math dhuibh," ars ise, "a dhol dhan a bhaile. Mas dig a' gharbhseach."

Chunnaic Coinneach e-fhéin agus Ailean air sràid mhór nam bùth — an t-uisge a' dòrtadh orra — an dithis aca aig bùth nam bròg a' coimhead dha'n uinneag.

Brogan ùr, na ficheadan dhiubh. Agus nighean òg, air a dà ghlùin, 'nam measg. A' glanadh agus a' sgioblachadh. An uair a lùbadh i a druim, chitheadh iadsan na cìochan beaga geal aice.

Tlachdmhor do'n t-sùil, 's gun dùil riutha. Thug Ailean dheth na speuclanan agus ghlan e iad cho luath 's a rinn e car a riamh.

Agus sheas iad ann an siud, anns an uisge mhór. Aosd agus bog-fliuch, cha robh iad tlachdmhor idir. Duine dha'n dithis.

Cho luath 's a mhothaich i dhaibh, leig i sgriach àrd agus ruith i. Ruith i aig peileir dearg a beath — nighean bhòidheach — dà chas mhath oirre cuideachd.

Cha do charuich iadsan gus am fac iad cinn eile air chùl nam bròg a' coimhead air fàth riutha.

"An trup mu dheireadh a bha sinn ann ..." arsa Coinneach.

"Am bùrn mór, a' latha sin."

"Bha. Dòrtadh."

"Feumaidh mi dubhanan fhaighinn," ars a' Sgudalair. "Cuimhnich dhomh-sa dubhanan."

Réileadh e-fhéin an ite riutha, ite gheal an t-sùlaire. Bha a' Sgudalair 'ga fhaicinn fhéin air a' chreagach, aig Caolas Idhanis a' slaodadh a-steach nan cudaigean.

"Na dh'fhiach thu fhathast e, Choinnich?" ars esan.

"An creagach?"

"Hm."

"Cha do dh'fhiach. Chan fhada thuige."

"Bha Ard Idhanis math an uiridh. Dé?"

"Bha. Uamhasach math."

"Sia air a chula sgrìob. Saidheanan cuideachd."

"A dhuine …"

" 'S dòch' a màireach …"

"Chan eil mi 'g radh nach bi-tu na b'fheàrr air an Dùn."

"Smaoineachadh."

"Cha shaoilinn-s' nach biodh a' chudaig dhearg 'ga thadhal an dràsda … rudeigin tràth 'son Ard Idhanis."

"Bha dùil agam fhiachainn an diugh …"

"Siol-mara math ann."

"A' lìonadh anmoch, nach ann?"

"A' lìonadh feasgar. Tràth. Siol-mara math 'son an Dùin."

"Woill, a màireach …"

"Théid mi còmh' riut."

Theann iad a' miaranaich.

"Oich is oich is oich," arsa Nellie.

"Sgìth."

"Gu bhith leis …"

"Tha 's mi-fhìn."

"Well," ars ise, "cha chreid mi nach dèan mi dìreach oirre …"

"Tha cho math."

"Tha."

"Thig thu rithist an ath-sheachdainn," ars ise.

"Thig. 'S mi gun dig."

"Cuimhnich a nis. Well … oidhche mhath leat, a Choinnich."

"Oidhche mhath."

Chaidh i suas dhan a chùlaist.

Sheas a' Sgudalair airson greis a' coimhead ris a' làr. A làmhan 'na phòcaidean 's a mhionach a-mach.

Coinneach a' fosgladh phutanan.

"Cha bhi 'n trom-laighe tighinn ort?" ars a' Sgudalair.

"Cha bhi."

"Hmm."

"Aislingean neònach agam ... gu h-àraid ma chaidleas mi troimh'n latha."

"Sin an cadal nach fhiach."

"Co-dhiùbh ..."

"Seadh ma-tha ... woill ... tha cho math ..."

Chaidh Coinneach dhan a leabaidh.

A' Sgudalair a' miaranaich:

"Poit-mhùin am bonn a' phris," ars esan. "Chan eil càil tuilleadh ..."

"Chan eil, chan eil. Oidhche mhath leat Ailein."

"Théid sinn chun a' chreagach a màireach."

"Théid."

"Oidhche mhath leat ma-tha."

"Ailein?"

"Dé?"

"Eil cuimhn agad air a' nighean a bha 'san uinneag?"

"Càite?"

"An trup mu dheireadh a bha sinn a's a' bhaile."

"Uinneag bhrògan."

" 'Se."

"Smaoineachadh air a sin a tha thu? 'na do leab-aidh ..."

"Bha i snog."

"Tha mi falbh."

"Na daoine bha coimhead rinn ... air fàth ..."

"O Dhia."

"Ha!"

Dhùin Ailean an dorus; dhùin esan a shùilean.

6

Chuir i ás a' lamp a bha ri taobh na leap. Bha solus na
gealaich aice a nis agus chitheadh i, air an uinneag, an
Tom Geur agus cliathaich na beinne. 'S cha b'urrainn
dhith — a' coimhead riutha dorch sàmhach fo'n t-solus
ud — gun smaoineachadh air ceann-teagaisg a bhiodh
tric aig Ailean.

'Ginealach a' tighinn,' chanadh e, 'agus ginealach a'
falbh, 's an talamh a' fantainn.'

Chuala Ailean na focail ud aig bodach beag annasach
a bh'ann uaireigin 's a thàinig a-steach a thigh a sheanair
— athair athair — an uair a bha a sheanair air a' leabaidh
leis an teine-dé. Cha robh e ach cóig bliadhna a dh'aois.
Bha a sheanair ann a' leabaidh a' staill, a's an dorchadas,
agus bhiodh esan 'na shuidhe air innean, a' coimhead
dha'n teine 's ag éisdeachd ri sheanair ag osnaich 's a'
tionndadh. Thuirt a sheanmhair ris gur e teine-dé a
bh'ann, agus bha dùil aige-san an uairsin gu robh a
sheanair a' dol 'na theine air chùl nan cùrtairean.

Ach air feasgar dorch thainig am bodach seo. Bha
bat' aige, agus bha mìr-eòrna aige 'na phòcaid — fhuair
Ailean làn a chraois dheth. Bodach dòigheil a bh'ann,
buachaille. Sheas e ann a' meadhon a' làir agus theann e
bruidhinn le guth man tàirneanaich. Cha robh esan
a' tuigse có ris a bha e a' bruidhinn — an robh cuideigin
a-muigh air an tobht? an robh dà shùil air an fhàrluis?
Sheall e-fhéin suas ach chan fhac e càil ach na sparran,
agus na ceanglaichean, ceò ghorm agus sùich. Agus chual
e am bodach ag radh: 'Ginealach a' tighinn; ginealach a'
falbh; agus an talamh a' fantainn.' Lean na focail sin ri
Ailean.

Cha b'urrainn dhìthse a nis — 's a sùil air a' bheinn agus an oidche geal — gun smaoineachadh air an fheadhainn a dh'aithnicheadh i-fhéin: Goromal agus Ruairidh-nan-speuclanan; muinntir Choinnich Mhóir; agus an dà bhràthair a bh'ann a Léinebroc: Aonghas agus Calum, na Bànaich mu dheireadh. Bha iad gu léir cruinn an oidhche thainig Ailean leatha gu Gil-a'-Chlamhain.

Bha cóig mìle deug a choiseachd eadar am baile-puirt agus a' Ghil, 's bha Ruairidh a' feitheamh riutha leis a' làir bhuidhe agus a' chairt. 'Gun dìth thu-fhéin. ... Gun dìth thu-fhéin ...' thug e dheth a bhonaid mas do rug e air làimh oirre. Falt cléigeanach glas, agus a' làmh làn ghàgan. Cha robh e idir col'ach ri Ailean ann am meud, cumadh, no ìomhaigh, ach a mhàin gu robh speuclanan air an dithis. Bha Ruairidh caol, crùbach — shaoileadh tu gu robh na gàirdeanan aige fada na b'fhaide na bu chòir dhaibh a bhith. Duine beag molach, dorch a's a' chraiceann, aona chas chuagach.

Thainig uisge drùidhteach orra a' dol tarsuinn na mòintich. Bu shuarach leotha, 's iad trang a' dèabhadh na searrag a lìon Ailean anns a' Bhaile Mhór, a lìon Ruairidh anns a' Bhaile Bheag — bhiodh cuirm ann an Gil-a'-Chlamhain. 'Bi clann a' rìgh air do bhanais!' dh'éigh Ruairidh gu h-àrd le ghuth, '... agus seinnidh Aonghas Bàn a' phìob, 's bi sinn a' danns gus an goir an coileach ...' Dh'innis e dhith mar a dh'éirich dhan a' chas chuagach — seanchas mhór na cois, thuit a' chlach a dhiùlt na clachairean oirre 's bha sin cràidhteach gort — agus chaidil e roimh'n a cho-dhùnadh 's cha chual iad an còrr bhuaithe gus na ràinig iad. 'Mo nàire! Mo nàire!' thuirt Goromal, ach bha i dòigheil. 'Nach seall sibh air an t-seana-bhun — tha sinn air ar maslachadh, a ghraidh.' Bha i 'na seasamh anns an dorus, agus bha aodannan eile air a cùlaibh a' coimhead a-mach. Agus cho luath 's a thug Ruairidh mun aire gu robh iad air buannachd 's gu robh a' luchd-éisdeachd air a dhol am meud, sheas e ann an toiseach na cairt agus sheinn e dhaibh uile:

Tha mo bhreacan fliuch fo'n dìle
'S chan fhaod mi innse mar thà e;
Tha mo bhreacan fliuch fo'n dìle.

Tha mo bhreacan gu fliuch fuaraidh
'S chan urrainn dhomh chuir suas a màireach;
Tha mo bhreacan fliuch fo'n dìle.

Ghleus Aonghas Bàn a' phìob:

Tha thìd agam-fhìn a bhi falbh dhachaidh
dìreach
Mas dig an t-uisge mìn gu bhi garbh dhomh.

pluicean Aonghais a' lìonadh 's a' bòcadh 's a shròin
eatorra cho dearg ri tomàto, tomàto leis a' ghràinne
dubh. Na meòir cho siùbhlach, brag aig a chas

Nam biodh trì sgillinn agam
Chuirinn dhan an òl 'ad ...

cùl amhaich Aonghais.

Bha e-fhéin agus Calum a bhràthair col'ach ri chéile:
leathainn, trom, dearg. Daoine solt gun dad a
chòmhradh, carthannach agus faisg 'nan dòigh. Cha
bhiodh tu glé fhada 'nan cuideachd gus a saoileadh tu gu
robh iad ann a riamh 's gum b' aithne dhut iad bho
thoiseach do bheatha.

Agus an fheadhainn eile:

Coinneach Mór, athair Choinnich, fear-gléidhidh
Ard-nan-Claisean — cho cruaidh ri creag, chanadh tu
gur ann ás aodann na creige a chaidh a sgealbadh. Shìn e
a chròg mhór thuice — cròg mhór man spaid — agus
smaoinich i 's i a' faicinn a làimh fhéin a' dol ás an
t-sealladh: O mo làmh bheag bhochd, cha dèan thu 'n
còrr a chaoidh. Ach cha do dh'fhàisg e idir oirre. Dh'fhàisg
e air làimh Ailein gu-tà, 's ged a leig esan na h-éigheanan
ás bha Coinneach Mór gun iochd: thainig a' chròg eile
a-nuas air a ghualainn, thuit speuclanan Ailein gu bàrr
a shròin agus lùb a ghlùinean. 'Bu tu-fhéin an
ceatharnach, Ailein — có a riamh a smaoinich gu
faigheadh tu té cho sgìamhach ...' 'Tha thu air mo

chiùrradh!' ars Ailean, a' glaodhaich. 'S thuirt Catriona, bean Choinnich: 'An ainm an àigh nach suidh thu air do thóin.'

Bha trì beannagan air Catriona 's bha 'm broilleach aice làn phrìneachan-banaltrum. Shuas anns a' chùlaist — air falbh bho ghlaodhraich nam fear — rinn i fhéin agus Goromal agus Barabal mìn-sgrùdadh air a chula piullag-aodaich a bh'aice. 'Càite 'n fhuair thu seo a ghraidh? Mo chreach-s' a Ghoromal, nach seall thu — fiach do làmh air an aodach sin.' Làmhan cruaidh garbh; làmhan a bhiodh a' pràbladh na mónach 's a bha eòlach air gràp is spaid; làmhan a bhleòghnadh bó 's a bheireadh laogh bho mhàthair 's a ghlanadh duis ann a sruthan fuar air maduinn reòidhte geamhraidh. Neònach a bhi faicinn na làmhan seo air a gùn geal sìoda. Agus fhad's a bha 'n dithis aca a' beachdachadh air, thainig Barabal thuice-se a dh'fhoighneachd mu dheidhinn an t-saoghail sin far an robh aodach ùr brèagha, fàinneachan is grìogagan ... 'Tha mise dol ann,' arsa Barabal, ' 's cha thill mi tuilleadh — chan eil càil a seo dhòmh-sa.' Rinn i sin. 'S bhiodh ise uaireanan a' miannachadh gun tilleadh Barabal 's gum bruidhneadh iad a rithist air bùithean a' Bhaile Mhóir, air brògan is adan is aodach geal sìoda. Ach cha thilleadh. Thigeadh cèic a chula Bliadhn' Ur. Sin uireas.

Nighean bhòidheach a bh'innte. Bha a màthair eireachdail cuideachd. Catriona, nighean Dhomhnaill a' Chladaich. 'Fuirich a nis a Chatriona,' chanadh Goromal, 'agus foighnichidh sinn dha Nellie. ... Có a ghraidh a chanadh tu-fhéin as truime, mise no Catriona?' Bha a' cheist seo ag iarraidh faiceal. 'Chan eil unnam-sa a bhrònag,' chanadh Catriona, 'ach an craicean 's na cnàmhan. Seall: dà chota-bàn, seacaid bheag, agus dà dhrathairs; 's tha geansaidh mor orm a bharrachd air a sin agus piullagan eile. Chan eil thu a' faicinn ach aodach. Thoir dhìom an aodach 's tha mi cho caol ri stamh a' chladaich.' 'A nis, a nis, a Chatriona, chan eil math sam bith dhut ann ... tha a' cheart uidhir orm fhìn, a' cheart uidhir.' 'O fiach an isd thu ... gu

sealladh sealbh ort a chreutair, ged nach biodh ann ach
an tóin a th'ort — chan fhada gheibh thu troimh'n dorus
…' 'Cluinn oirre, Nellie, 'ga call fhéin … ag radh gu bheil
tóin mhór orm-sa!' Agus gu dearbha cha robh Catriona
fada ceàrr, ach tóin ann no ás, bha Goromal air leth
math.

Nighean Sheonaidh Duibh. Bha uaireigin othail ann a
sìg-chorc air Ard-nan-Claisean, agus rugadh mac dhith.
Ailean.

'Tugainn sìos a nis,' thuirt Goromal. 'Tha cho math
dhuinn aghaidh a' bhoinn a chuir air a' bhathais.'
Bhiodh focail mar sin aice: 'aghaidh a' bhoinn air a'
bhathais.' Goromal.

'S chaidh iad sìos chun an teine 's bha Coinneach
Beag a' seinn:

O 's fheudar dhomh bhi togail orm
A dhìreadh na fuar bheann.

Cha sheinneadh duine cho math rise-san. 'Na
shuidhe air a' bheing eadar Aonghas Bàn agus Calum,
's bha 'n dithis aca-san air an gluasad gu gal. Bha na
h-abhrain — gu h-àraid aig deireadh na h-oidhche 's an
deoch 's an cadal 'gad fhàgail fann — bha na h-abhrain
an uairsin slaodach, tiamhaidh. Dh'fhalbh Coinneach
Beag cuideachd, an gille tùrail grinn. A dh'Africa, O Dhé.
Africa. Có chreideadh an oidhch ud gum b'e siud do
cheann-uidhe? 'S nan tigeadh tu rithist, 'nan tilleadh tu
Choinnich, bhiodh a' loch ud mar a bha i riamh, an
gleann seo gun atharrachadh. Ach sgaoil a' choinneamh:

'Oidhche mhath leat a Chatriona.'
'Oidhche mhath Aonghais, 's math a chluich thu
oirr' a nochd.'
'Na bithibh fada gun ar ruighinn a nis.'
'Cum do shùil air Coinneach Beag.'
'Tha i cho dorch ris a' bhìth …'
'Mar sin leat an dràsd Ailein …'
' 'S gu robh latha fada sona agaibh le chéile.'
'Oidhche mhath dha-rìreabh … oidhche mhath.'
Agus an talamh, mar a thuirt Ailean, mar a thuirt am

bodach a thainig air feasgar, an talamh a' fantainn. An
Tom Geur man balgan-buarach ann a' mullach na
beinne. A' mhòinteach. Bho thainig an aois oirre cha
bhiodh i a' ruighinn cho fada mach 's bu mhiann leatha
's bha sin glé dhuilich dhith.

Ach gu dearbha bha maduinnean math ann, gu
bràth 'na cuimhne, an uair a nochdadh Coinneach 's a
dh'innseadh e gu robh latha cruinneachadh nan caorach
air a thighinn aon uair eile. Meadhon an t-samhraidh.
Bhiodh i-fhéin agus Ailean 'nan cadal séimh. Agus an
uairsin thigeadh a' fuam:

'A-ha! A-ha! A-ha!' a' dol troimhead chun a' smior.
Coinneach 'na sheasamh anns an dorus. Theannadh
Ailean a' trod:

'Dé tha thu fiachainn ri dhèanamh? Cuir ás dha'n
dithis againn?'

'A-ha!'

'Fios agus cinnt agad nach eil mise fulangach ...'

'A-ha! A-ha!'

'O mo chreach-s' a Choinnich.'

'Leig thusa dha ... leig thusa dha ... coinnichidh
fhiadh fhéin rise-san lath-eigin.'

'Togaidh mi 'n teine.'

'Fios aige nach eil mo chridhe-sa ach lag.'

'Ni mi biadh.'

'... Mì-mhodh agus dìth na nàire ...'

'Cuir thusa air an coire Choinnich ... ni mi-fhìn am
biadh.'

'Co-dhiùbh, bi duine dol ri dhualchas seachd uairean
a's a' latha.'

'Och isd, Ailein.'

'Isdidh. Isdidh mise. Ach fuirich thus ort.'

'Chan e cail a tha ceàrr a Choinnich, 's gun dàna tu
cho tràth?'

'Tha gu leòir ceàrr.'

'O chan e, chan e, chan e. Mi-fhìn is Teàrlach a' dol a
dh'iarraidh nan caorach — maduinn cho math 's a
thainig am bliadhna.'

Maduinn àluinn. Bu shunndach an ceum a' falbh,

saor o uallach, saor o chuileagan, agus dealt na h-oidhche
fhathast air a' fhraoch. Bhos cionn na h-Airidh Ghlas
dh'éireadh na faoileagan le iulach àrd — bhiodh iad
a' neadachadh ann a sin; a' cuir feagal a bheatha air
Ailean; Ailean a' mionnan dhaibh, aodann a' deàrrsadh,
cugallach a cheum. 'Tha na balgairean sin a' cuir na
mòintich fodhpa-fhéin — chan fhada chì thu cearc-
fhraoich, naosg no lach ...'

Leigeadh iad a' cheud anail air an Tom Gheur. Bha
an tom fradharcach, chitheadh iad sgaoilteach mhór de
mhòinteach bho mhullach. Coinneach a' coimhead
timchioll 's a làmh ri mhaoil; Ailean a' deocadh bil-feòir,
a shaoirsinn aige a nis — cha robh an còrr a
dh'uamhasan anns an t-slighe.

Cha bhiodh ise a' dol na b'fhaide na 'n tom.
Ghabhadh Ailean a-mach air a shocair gu loch Sléibht,
agus nan tigeadh caoraich 'na rathad leigeadh e éighe:
'O-ho! O-ho!' agus an ceann greis chitheadh i iad 's an
earbaill an àirde a' ruith sìos dhan a' ghleann. Bhiodh
Coinneach 's an cù a' toirt sgrìob mhór siar air an
abhainn — bha ainmeanan ann: Feadan Idhagro, Loch
Bhréitheabhat, an Garadh Mór, a' Loch Chaol.
Chluinneadh i fead Choinnich an dràsd 's a rithist ach
chan fhaiceadh i gluasad sam bith. Uaireanan bhiodh
an dithis fada gun ceann a thogail agus dh'fhàsadh
i rudeigin iomagaineach, dealbhan a' ruith troimh
h-inntinn. Gu h'àraid bhiodh i a' faicinn Ailein suas gu
achlaisean ann a' léig-chruthaich no air a cheann dìreach
ann am Bota-Cnàmh.

Ach nochdadh na gaisgich mu dheireadh thall, fear
caol 's fear cruinn air cùl nan caorach an uachdar a'
ghlinn.

'Teich a-mach a bhalaich.'
'O-ho! O-ho!'
'Eil thu faicinn na caora shùileach?'
'Robh i agad a' tighinn?'
'Thoir leat 'ad, leat 'ad a bhalaich.'
'Tha i air thoiseach, a Choinnich.'
'Laigh a nis! Laigh sìos.'

'Robh thu muigh fada?'

'Loch Bheag Shanndabhat. Tha mi smaoineachadh gu bheil 'ad againn.'

'Bi fios aig Nellie ... Seo, seo ... O-ho!'

'Trobhad a nis. Cùl mo chois.'

Bha Teàrlach rìoghail. Bha Teàrlach math. Bhiodh i a' saoilsinn an t-saoghail dheth 'ga fhaicinn a' cuir na mòintich mhór ud as a dheidh, a' dol gu cinnteach a réir àithne a' mhaighstir. An uair a ruigeadh iad, bhiodh i a' freasgairt air Teàrlach an toiseach, Teàrlach còir, Teàrlach còir agam-sa. 'S ged a bha a theanga air tuiteam a-mach, cop ri cùl a bheòil 's an anail cho luath, cha robh duine no ainmhidh cho moiteil 's a bha Teàrlach an uair ud.

Bha an fhaing eadar Ard-nan-Claisean agus an tigh aca-fhéin. Bha i ann bho thùs, air a dèanamh le cip agus sgrathan, na ballachan a nis air talmhachadh. Chitheadh tu mun cuairt oirre far an robh àite fhéin aig gach duine — buaileagan uaine far am biodh iad a' bearradh 's a' spoth 's a' trod 's ag éigheachd 's ag òl bainne tiugh. Bha cuimhne mhath aice air na bonaidean, na beannagan, na briogaisean, 's na bréidean air na tóinean. 'S bhiodh na tóinean an àirde dha'n adhar 's iad trang a' rùsgadh; na h-aodainn dubh, fallusach, aig teas na gréine agus stùr na faing. Nan tigeadh dà rùda gu chéile stadadh an obair agus chruinnicheadh 'ad timchioll. Bhiodh gach duine a' moladh a rùide fhéin, 'ga phiobrachadh 's 'ga bhrosnachadh. 'S an uair a bhiodh an t-sabaid seachad, theannadh iad a' dearbhadh an amhaichean a chéile: 'Cha do rinn e bhiadh dheth a Chaluim ...', 'Cha leig thu leas a nàbuidh, cha bhi e gu bràth nas treise na rùda mór agam-sa.' Ach chaidh casg a chuir air a' ghnothuich seo a riamh bho chaidh caora le Coinneach Mór a pronnadh gu bàs. Choisich i, brònag, air a deagh shocair eatorra, 's mas d'fhuair duine bh'ann air caruchadh, bha an fhuil dhearg ri coinnlean 's a mionach slaodadh rithe. Cha do rinn i a' fuaim bu lugha.

Chrath i air falbh an dealbh sin. Na b'fheàrr a bhi cuimhneachadh air na maduinnean tràth nuair a

dh'fhalbhadh iad le ceum sunndach 's an dealt fhathast
air a' fhraoch. Dh'fhàs i uamhasach ceangailte ri na
caoraich, dh'aithnicheadh i gu math iad agus
dh'aithnicheadh iad i. Air a' gheamhradh, an deidh a'
reitheachd, bhiodh i a' dol thuca le biadh. Ruigeadh i
àiridhean Bhréitheascro, tobhtaichean uaine a measg
luachair, agus dh'éigheadh i orra:
'Nighean Mhór! A' Bhlàrag! Tróidibh!'
'Chaora Sgrogach! Gille Bàn! Tróidibh! Tróidibh!'
Cha robh caora a' tadhal a' ghlinn nach aithnicheadh i 's
bha ainm aice air a h-uile gin. Bòidheach dha-rìreabh a
bhi 'ga faicinn a' cromadh thuice bho gach taobh, 's an
uair a bhiodh an oidhche reòidhte 's i a' cuir an t-sneachd
chuimhnicheadh i orra, crùibte còmhladh ann am
fasgadh na seann thobhtaichean ud.
Cha robh aca a nis ach na trì beathaichean: Caora
Bheag na Tràghad, Nighean na Fìor-othaisg, agus a'
mult. Ach bha gu leòir aig Coinneach, a-muigh ann a sin
leotha fhéin air a' mhòinteach mhór. Chitheadh i, air an
uinneag, an Tom Geur agus cliathaich na beinne. Glé
dhorch a nis. Cha b'fhada gu maduinn.
"Chan 'ilfhios nach ruig mi fhathast sibh," thuirt i gu
socrach, "... an Airidh Ghlas ... Bhréitheascro ... druim
Loch Shléibht ... chan 'ilfhois fhathast ... latha buidhe
Bealltainn ..."

Bha Coinneach aig muir; a' falbh chladaichéan is chuan-
tan, a' cluinntinn nan tonnan mór a' sluaisreadh ...

Sluaisreadh.
Focal dhut. Sluais ... readh.
Fuaim an fhocail, a' fuaim agad; a' fuaim socair
sluaisreach samhraidh agad
ri cladach, ri tràigh, a' tràghadh 's a' lìonadh.

Luaisgeanach do ghluasad
a-mach 's a-steach, a-mach 's a-steach,
aotrom aig uairean
a' sgaoileadh air gainmheach is mol.

'S an uair a thig i bho'n iar-thuath
dorch doineanach na tonnan trom geamhraidh
agad
a' bualadh buille bho bhuille air leac is palla
a' pronnadh 's a' stracadh
's a' briseadh geal ri gach carraig agus sgeir
smùid is siaban 'ga frasadh,
aimhreiteach do chòmhstri ann an uaigneas nan
geodhachan

ni thu sgaradh an uairsin
ni thu sgabadh:
lorgaidh na h-eòin fasgadh ann a' sgoltadh dubh
nan creag
teichidh an fhaoileag gu tìr
crùbaidh a' chrùbag 'na daingneachd fhéin.

Ach thig fois agus fèath a rithist
's bi solus na gréine air do chòmnhnardan àrd
's a' fuaim socair sluaisreach samhraidh agad
a' tighinn 's a' falbh
ri cladach is tràigh.

Ann an càinealachadh a' latha dh'fhàg i cala, m'athair agus Calum Bàn ag iomradh, mo cheann làn cadail. Bha i bòidheach dha-rìreabh, an eathar againn, air druim a' chuain. Cha robh focail againn ach dha'n aimsir 's sinn a' coimhead ri na néimhean os ar cionn:
    'Tha i gealltainn latha math.'
    'Cho fad's nach tig i gu bhi ro bhlàth ...'
    'Na fuireadh i aig 'n Earadheas, dìreach man a tha i 'n dràsd ...'
    'Bhiodh sin, mar a chanadh an Glaisean, ion-mhiannaichte.'
    'Cha b'urrainn na b'fheàrr.'
    'Ach bha teas innt' an dé ... aig àird a' mheadhon-latha, bha teas innt' ...'
    Thainig na fulmairean a-nuas bho bhàrr a' chladaich a choimhead rinn — na h-eòin chrom, grinn a ghluaiseas

iad. Thainig a' steàrnag chaol a throd, 's bha na faoileagan ann co-dhiùbh.

Chum sinn a sròin gu siar. Bha 'n Talamh Fuar a-muigh a sin, taobh thall na fairge. 'S bha mi 'gam fhaicinn fhìn ag iomradh a-null tarsuinn agus an dealbh iongantach seo agam dha'n Talamh Fhuar ag éirigh an àirde ás na h-uisgeachan. Ach thug sinn mun cuairt i mu choinneamh an Dùin agus dhùisg Ruairidh gu obair mi:

'Siuthad siuthad a Choinnich, leig sìos an ceann-mara.'

Ceud agus trì fichead dubhan, a' lìon-beag a bh'againn. Ceud agus trì fichead dubhan air an deagh bhiathadh le rionnach, mo làmhan 'gan cuir, aon is aon, gu bràth gos na ràinig sinn sear air Ard Idhanis. Bha Ard Idhanis a riamh 'na chomharr againn, 's aig an fheadhainn a bh'ann romhainn — iasgairean nan eathraichean móra a dh'fhalbhadh fo sheòl.

Ghabh sinn ar biadh an uairsin 's leig sinn dha'n t-sruth falbh leinn socair air ais gu siar.

'Sruth sear gu lìonadh agus siar gu tràghadh,' thuirt Calum Bàn as a ghuth-thàmh. Agus aig àm shonraichte chan iarr e taobh seach taobh. Sin an t-àm as fheàrr 'son iasgach. Bha dorgh aig gach duine, a' sgaoileadh na sreang gos am buaileadh a' luaidhe grunnd na mara. Lorg sinn a' saidhean agus a' liùgh agus na sgobagan àbhaisteach faisg air tìr. Bha na rionnaich na b'fhaide muigh 's rinn iad stialladh air dubhanan, rinn iad toinneamh air sreangan, 's chuir iad Ruairidh troimhe-chéile:

'Tha clann na galla sin glan ás an ciall! Tarruing a-mach i, Choinnich, gos a ruig sinn na truisg.' Agus ghabh sinn a chomhairl', a' gabhail comharr eadar an Dùn agus Ard-nan-Claisean. Grunnd-mara nan trosg — trom cadalach iadsan. Ailean le shùilean cruinn 'gan coimhead marbh fo chasan:

'Nach àluinn an t-iasg e, Choinnich. Agus a' rionnach cuideachd.'

Bha an adhar gorm, gun aon sgòth. Chunnaic sinn na sùlairean a' dol gu siar, a' sgarbh dubh leis fhéin a-null 's a-nall air aghaidh na doimhne. Chuir an cearban car-a-mhuiltein no dhà, 's bha a' ròn rìoghail, le shròin 's le fheusag, air togail a chinn. Feallsanach a' chuain mhóir.

'Trobhad a bhalaich, balach bochd, trobhad thusa,' bha Ruairidh ag éigheachd. Agus shaoileadh tu aig amannan gur e sin an dearbh rud a bha esan a' miannachadh. Ach cho luath 's a thigeadh sinn dàn air, theicheadh e air falbh. Balach glic. Có chuireadh earbsa ann a' mac an duine.

Bha m'athair a' bruidhinn air iasgairean eile:

'Dà eathar againn air an tràigh, an te seo agus eathar mhór Dhomhnaill a' Chladaich. 'S bha na dhà a-muigh a' là ud. Ged a bha mise glé òg — cha bhithinn ach mu shia bliadhna — fhuair mi còmhla ri m'athair. Bha mo sheanair oirre cuideachd, Domhnall fhéin, Aonghas mac Dhomhnaill a bha 'san Dùn, Fionnlagh Beag an t-sruthain agus Seoras Alasdair na Buaile. B'e sin a' sgiobadh. Bha Seonaidh Dubh air an téile, d'athair fhéin a Chalum, an Glaisean, Seumas Alasdair bràthair Sheorais, 's bha Ailean Mór 'na sgiobair oirre.

'Co-dhiùbh thainig a' feasgar a-mach — shéid i bho'n iar, steall geal aice air sròin a' Rudha. Cha do ghabh mi a leithid a dh'eagal a riamh — uamhasach fhéin an fhairge nuair a dh'éireas oirre. Bha na bodaich 'na maraichean math gu-ta, 's chum sinn a deireadh dha'n t-suaile, Seoras 'ga stiùireadh. Tha mi creids' gum biodh sinn a' dlùthachadh gu math air an tràigh nuair a chunnaic sinn eathar Ailein. Agus h-abair sealladh! Bha i gearradh tarsuinn oirnn bho'n ear 's cha robh duine beò ri fhaicinn ach Seonaidh Dubh 's e ann an iomairt mhór. Bha 'n còrr 'na sléibhtich le cuir-na-mara — togail-sùil cha robh aig aon duine bh'innt 's bha Seonaidh bochd air fheuchainn chun a' smior. Dh'éigh Domhnall ris:

Cum dìreach i Sheonaidh! Cum dìreach i!

'S chuala sinn guth Sheonaidh, àrd an aghaidh na gaoith:

Coma leat-s' a charaid! Tha mise dèanamh air a' chladh!'

Gàireachdainn, agus an uairsin seanchas eile. Dhùin

mi mo shùilean agus dh'éisd mi riutha, a' bruidhinn air gaillionn is garbhseach agus daoine calma a chuireadh bàta fo h-uidheam a dh'aindeoin sin. Dh'éisd mi ris an t-sàmhchantas a bha timchioll oirnn agus chluinninn an dràsd 's a rithist othail nan eun a-stigh aig a' chladach. Leig mi na dubhain sìos aon uair eile, sìos sìos, aitheamh an deidh aitheamh, dha'n doimhneachd mhór.

Bha feasgar ann an uair a thill sinn chun a' lìon. Ceud agus trì fichead dubhan 's bha iasg air gach aon dhiubh. Na h-adagan bu lìonmhor, cho geal agus lìtheach a' tighinn ás a' mhuir. Fhuair sinn cnòdain, sòrnain, agus bodaich cuideachd, 's bha sinn gu léir 'na ar sruthanan falluis a' slaodadh a' slaodadh 's a' ghrian ud cho teth a' cuir nan gathan unnainn. Ach bha sinn ann a' fonn math; cha robh dùil aig duine gu faigheadh sinn uidhir:

'Bi sgoltadh ann!'

'Bi sailleadh ann!'

'Bi na baraillean làn!'

Bhiodh na boireannaich air an tràigh a' feitheamh. 'S an uair a smaoinicheadh sinn orra-san, 'sann bu sgairteil gu obair sinn.

'Bi Goromal coibhneil riut a nochd a Ruairidh.'

Thog sinn an cruaidh 's thug sinn timchioll an Dùin i, m'athair agus Ruairidh air na ràimh. Bòidheach a sheòl i. Bha mise 'na deireadh 's mo làmh air a' stiùir; Ailean agus Calum Bàn a' pasgadh nan duirgh, abhran aig Calum:

'S truagh nach robh mi-fhìn 's Niall Odhar
Nàilibh ic 's na ho-ro
A lagan beag os cionn Dhun-Othail
Nàilibh ic s' na ho-ro ...

Agus a-mach bho Ard-nan-Claisean leig Ruairidh ás a ghréim.

'Chaill e lùths a chàirdean,' thuirt m'athair, a' priobadh oirnn.

'Bi cho math dha Goromal cadal.'

' 'S mi smaoinich nach dèanadh e bhiadh dheth.'

'Siuthad thoir a' ràmh sin dha Ailean.'

'O tha fuil Sheonaidh Duibh ann an Ailean.'

Rinn e seòrsa de ghàire. Bha dùil agam gu robh e dol a radh rudeigin — cha b'ann tric a leigeadh Ruairidh sàthagan dha'n t-seòrs ud seachad. Ach cha duirt e dùrd.

Rinn e seòrsa de ghàire 's an uairsin dh'aom e gu chùlaibh a dh'uchd Chaluim Bhàin.

Bha fear a dh'innseadh seanchas 'na shuidhe aig a' bhòrd, 's bha an dithis bhalach a' feitheamh ris.

Ruigeadh e tràigh leotha, dh'fhalbhadh 'ad cladaichean.

Dh'fhalbhadh 'ad air an casan rùisgte a' leantainn a' rathaid sìos bho Ard-nan-Claisean. 'S bhiodh corca Choinnich Mhóir air gach taobh dhiubh ag abachadh ann an teas na gréine. A' ghrian mhór bhuidhe a' losgadh shuas gu h-àrd: nan togadh tu do shùilean thuice theannadh 'ad a' sileadh, dh'fhàsadh 'ad gort. Na b'fheàrr agus na bu ghlice dhut coimhead romhad, gu h-àraid anns a' chromadh sìos chun na traghad far an robh an dìogan agus a' muran a' fàs.

Sheasadh an duine aig oir na mara air a' ghainmheach gheal mhìn, a shùilean aosda a' gabhail alla ri gach nì a bha gluasad. Bhiodh na balaich air a' mhol a' lìonadh am pòcaidean le clachan beaga cruinn, agus a' slòpraich a's a' sprùilleach: fiodh — a' chuid mhór dheth gun fheum ach dha na raodain — bucais, bascaidean, agus baraillean gu léir 'nan spealgan; pìosan de ròpa garbh, bìdeagan de ròpa caol, putan meirgeach, putan gloinne, bloighean lìn. Bha cnàmhan ann cuideachd, agus claguinn, agus glé thric thigeadh 'ad air faoileag mharbh, sgarbh no sùlaire. Bha asnaichean muc-mhara fhathast a's a' ghainmheach aig bun an uillt, bun Allt Léineabhat. Bha i ann bho linn nan creach.

Dh'éigheadh e orra.

'Có 's luaithe?' dh'éigheadh an duine, agus ruitheadh 'ad thuige, a' sgabadh na gainmhich fo 'n casan, a' tuiteam 's ag éirigh 's a' tuiteam a rithist. A' ghainmheach a cheart cho socair ris an t-sneachd.

'Dé fhuair sibh? Dé na rudan iongantach a fhuair sibh a nis?'

Bheireadh e greis mhór a' coimhead ri gach clach — a' coimhead riutha mar nach biodh e air a' leithid fhaicinn a riamh.

'Seall air an te sin!'

'Seall air an te a fhuair mise!' Na làmhan cnàmhach cruaidh aige 'gan togail aon is aon, faiceallach foighidneach mar gum b'e uighean an trìlleachain a bh'annta. Chuireadh e gu bhilean iad, lorgadh e blas saillt na mara.

Bha an tuilleadh sprùilleach — agus gu leòir dheth — ann an Tangaidir, cladach creagach, sgaoilte, làn chaolais agus chladhain. Bhiodh tiùrr mór feamainn ann, agus dh'innseadh an duine dhaibh ainmeanan: feamainn-bhalgain, feamainn-dubh a' bhuntàta, feamainn-chìrein; mircein, smeartain agus langadair; stamhan is duileasg. Dhèanadh 'ad cogadh le na stamhan, buille ma seach 's a' liadhag a' slacadaich; dh'itheadh 'ad an duileasg ach a' mircean a b'fheàrr leotha.

Cha dugadh a' nighean dha màthair
earball-sàil' a' mhircean foghair.

Thuirt an duine siud riutha. Bha a' mircean cho blasda agus cho milis.

Lorgadh 'ad crùbagan agus portain. Sheall e dhaibh sgoran far am biodh a' chrùbag an còmhnaidh 's chunnaic 'ad le iongnadh a ghàirdean a' dol as an t-sealladh a-steach dha na sgoran dorcha sin 's a' tilleadh a-mach a rithist 's i aige 'na chròg. Cha dèanadh iadsan seo idir: bha 'n ine mhór fada ro mhór. Ach bha na portain furasd. Fhad's a bhiodh an duine a' strì ri na crùbagan, dh'fhalbhadh an dithis aca-san bho lòn gu lòn an tòir oirre — a' toirt a chreids' gu robh an obair cunnartach:

'Tha sinne math air a seo.'

'Cha do chaill sinn òrdag fhathast.'

'Chan eil aon ghearradh orm.'

'Chan eil na orm-sa.'

'Tha sinn ro luath air a son.'

'Feumaidh sinn sin.'

'O feumaidh.'

Bhiodh na portain a' sgròbadh 's a' sporghail air tóin a' phoc.

'Na truaghain.'

'Isd.'

'Bha 'ad cho dòigheil a's na lòin.'

'Isd, thuirt mi.'

' 'S tha sinne nis a' dol 'gam bruich ann am balgaire de phrais.'

'Thoir dhomhsa 'm poc. Faigh thusa faochagan.'

Bhuaineadh 'ad scrom a bhiodh aca air a' chreagach agus phronnadh 'ad e air na leacan. Bha a' scrom pronn man léig morghain, ach cha robh biathadh ann cho math ris. Tharraingeadh e a' saidhean a-steach gu taobh na creig, thigeadh smalagan is cudaigean 'nan cliathan.

Dhèanadh 'ad creagach a's a' chladach gharbh far an iarradh duine eòlas agus faiceal a measg nan geodhachan dubh domhain. Bha ainmeanan a seo cuideachd: Tóbha Dhìobadail, am Palla Mor, Leac Bhàn Geodh' na Muic, Uisge-bri, Sgeir an Dùin agus Caolas Idhanis. 'S bhiodh na h-eòin a' neadachadh air fheadh. Sheall an duine dhaibh aona chreag a bh'aig na h-eòin-dhubh dhaibh-péin — eun dubh a' sgadain chanadh feadhainn ris 's bha a bhroilleach geal 's a ghob fada, biorach. Agus shuidheadh na balaich ùine mhor ann an teas na gréine 'gan coimhead; an duine ri 'n taobh 's a shùilean aosd a' ruith air aghaidh na fairge mhór fharsuing ud.

'Na seòladh sinn tarsuinn, a' ruigeadh sinn àit eile?'

'Ruigeadh. Ruigeadh gu dearbha.'

'Eil e fad ás?'

'Tha. Uamhasach fad ás.'

'Eil daoine ann?'

'Tha. Daoine.'

'Man sinne? Daoine man sinne?'

'Tha. Agus tha daoine dearg ann cuideachd.'

'Daoine dearg! Dé tha sin, daoine dearg?'

'Daoine dearg le itean.'

'A' marbh 'ad thu?'

'Cha mharbh.'

'Carson a tha iad dearg?'

'Tha daoine dearg ann, agus tha daoine dubh ann; daoine buidhe agus daoine geal. Dh'fhaodadh gu bheil daoine gorm ann cuideachd. Agus daoine uaine. Chan 'ilfhios bho Dhia carson.'

'Robh thus ann?'

'Càite?'

'Thall a sin.'

'Cha robh.'

'Am bi iadsan a' dol ann?'

'Có?'

'Na h-iseanan sin.'

'Chan 'ilfhios 'am. 'S iongantach gum bi.'

'A' bheil iseanan ann?'

'Tha gu dearbha. Agus cladaichean. 'S bi muir a' tràghadh 's a' lìonadh ann — fiadhaich aig amannan; agus aig amannan socair, ciùin.'

Bha thu aig ceann a' bhùrd 's bha sinne a' feitheamh ri do sheanchasan. Mi-fhìn agus Ailean, chan iarradh sinn an còrr ach a bhi còmhla riut. Bha 'n t-uisge air an uinneag, dreach an fhoghair air na claisean 's air na machraichean. An triùir againn, ag ithe shìolagan le sabhs agus buntàta. Bha thu déidheil air na sìolagan — dh'fhalbhadh tu le do chorran dhan an tràigh. 'S cha duirt thu càil; cha robh thu fiu's ag ith do bhiadh. Agus bha làn dùil againne gur ann a' smaoineachadh air seanchas eile a bha thu — seanchas ùr annasach mu dheidhinn nan daoine dearga le na h-itean, no mu dheidhinn an fhir eireachdail a thainig a chéilidh, fear àrd uasal le cnodhanan. Ach cha b'ann. Cha b'ann.

Thainig aodann Ruairidh thuige. Bha na speuclanan air sgàineadh. Bha e a' bruidhinn air na ròin, ag innse nach fhaigheadh tu iasg uair sam bith far am biodh a' ròn. Chunnaic e gu robh na sreangan agus na dubhanan a measg a chéile 's bha Calum Bàn 'na deireadh ag éigheachd 's a' comharrachadh a-mach rudeigin: MacBrìde, a' dèanamh air àird a' chuain. 'S bha fios aca uile gum biodh na ròin 'ga stialladh ás a chéile roimh bheul na h-oidhche. Dh'fheumadh 'ad gearradh tarsuinn agus stad a chuir air; dh'fheumadh e innse dha Ruairidh gu robh na speuclanan briste. Bha na sreangan a measg a chéile 's bha cuideigin a' mionnan dha na rionnaich — athair, Ruairidh … sheall e ri Ruairidh agus bha Ruairidh marbh. Cha robh sgeul air MacBrìde, dh'fhalbh e 's cha thilleadh tuilleadh. Chunnaic e Catriona Bhàn an Dùin air bàrr a' chladaich a' gal 's a' tuireadh, 's bha feadhainn eile air an tràigh, ann an aodach dubh. Chuir 'ad Ruairidh 'na shìneadh air a' ghainmheach gheal 's bha a' muir-làn a' tighinn na b'fhaisg agus na b'fhaisg a' sgaoileadh ri bonnan a bhrògan. Thoisich na brògan a' seòladh a-mach, 's an uair a sheall e rithist 'se crann-siùil a bh'ann, crann-siùil Sheonaidh Duibh. 'S bha esan agus Ailean agus Domhnall a' Chladaich 'nan seasamh air an tràigh.

Chuir Domhnall a' Chladaich a làmh air a ghualainn. A' samhradh a bh'ann. Beul na h-oidhche 's a' ghrian a' dol fodha. Bha na h-eòin 'nan cadal. Cha b'fhada gus a' falbhadh iadsan dhachaidh cuideachd.

Dh'fhosgail e shùilean 's bha 'n dorchadas air uachdar na talmhainn. An dorchadas a bh'ann an toiseach. An toiseach cha robh ann ach an dorchadas … Thuirt an duine foghlumaicht a dh'éirich ás na creagan gur e deigh a bh'ann an toiseach.

Sheall e ri Teàrlach. Bha Teàrlach 'na chadal. Cha robh beò ach e-fhéin, agus dh'aithnich e nach b'fhada nis gu maduinn. Eirich a Choinnich, agus dèan ullachadh — do dheise mhór iaruinn, do chlaidheamh agus do chlogaid.

7

Eadar a chadal 's a dhùisg, a' Sgudalair. A cheann air cluasaig 's an còrr fo phlaideachan. Gu math sgìth, a' coimhead latha mór eile air an uinneig. A' cluinntinn sgal na gaoith air ceann an taigh.

Cha dèanadh iad creagach airson latha. Cha robh deifir — thigeadh làithean. Latha gu cur agus latha gu buain. Latha gu creagach.

Na sgòthan 'nan cabhaig shuas anns an adhar — col'as fiadhaich oirre — agus a' ghaoth seo, a' ghaoth bho'n Iar Thuath ... bhiodh na tonnan àrd. Cha robh càil a dh'fhios nach biodh lìon, no 's dòcha ròp ...

Ruitheadh e air a' chladach, fad an fheasgair. Ghabhadh e cuairt mhór: suas gu Buaile-na-Crois agus a-null gu Léinebroc. Agus thòisicheadh e aig Bun an t-Sruthain, air a' mhol.

Fhuair a sheanair crann-siùil uaireigin aig Bun an t-Sruthain.

Fhuair sean-sean-sean-seanair Choinnich an tocasaid. Geodh'-na-Muic agus tocasaid innte.

Cha robh càil a dh'fhios ... ann an Geodh'-na-Muic, ann an Cladach Dhìobadail ...

'Dh'iarr a' muir a bhi 'ga thadhal.' Sin a chanadh e, esan, a sheanair, a dh'fhalbhadh moch gu cladaichean garbh.

'Crath dhìot an cadal Ailein ... do lit a' fuarachadh.' A' leabaidh cho blàth, fuam na gaoith air ceann an taigh ... greis bheag eile, greis bheag eile 's an uairsin dh'éireadh e.

B'fhada bho dh'éirich Nellie.

'S bhiodh i shìos aig an teine, a' dèanamh na rudan a

bhiodh i dèanamh. Abhran aice, 's bhiodh an t-abhran 'na ceann fad a' latha.

B'fhada bho dh'fhalbh Coinneach.

Teàrlach a' snótaireach roimhe, agus esan 'na shaoghal fhéin.

Bha 'n oidhche math, an oidhche bha aca.

Na sgeulachdan ... stòraidh Dhomhnaill a Chladaich:

'Bho chionn fhada 'n t-saoghail a bhalachaibh, bha am boireannach seo agus a' nighean aice a fuireachd 'nan aonar ...'

Dh'innseadh a sheanair-san sgeulachd mhath cuideachd:

'Bha balach beag a-siud a-reimhe, 's thom e chlibean dhan an tea.'

'Od-od, a Sheonaidh,' chanadh athair, 'od-od-od.'

'Droch dhuine,' thuirt MacDhùghaill. 'E-fhéin 's an Glaisean, tha mallachd Dhé orra.'

An uair a chaochail an Glaisean chunnacas dà fhitheach a' dèanamh air an àrd mhòintich.

'Na dh'fhalbh 'ad leis?' dh'fhoighnich e.

'Cha do dh'fhalbh. Tha e a's an talamh, ann an toll.'

'Eil e a's an teine mhór gu-tà? ... còmh' ri na daoine dona, a' dìosgail fhiaclan ...'

Bha sruth bho shùilean, a' smaoineachadh air a' Ghlaisean bhochd a' ròsdadh ann an teine.

'Isd thusa Ailein, na bi rànail idir. Cha robh fiaclan a's a' Ghlaisean ann.'

Agus chunnaic e ceann a' Ghlaisein, a bhonaid sìos m'a shùilean 's a bheul fosgailte. Sheall e dhan a bheul aige. Cha robh. Cha robh aon ann. Agus thog an Glaisean bil a bhonaid:

'Na bi 'ga mo bhidsigeadh,' ars an Glaisean.

'Na cuireadh 'ad feagal sam bith ort,' thuirt a sheanair.

'Eil feagal ort Ailein?'

'Tha.'

'Carson?'

'An oidhche.'

'Crùb sìos fo'n aodach.'

'Fead na gaoith.'

'Gnogadh.'

'Tàislich.'

'Tàirneanaich — Dealanaich — Doinionn — Dorchadas!'

'Guth Dhé a ghraidh.'

'Guth Alpha Omega.'

Bha a sheanair 'na laighe air uachdar na leap. Cha ghluaiseadh tuilleadh. Sgaoil MacDhùghaill a ghàirdeanan dubha:

'Tha mallachd Alpha Omega air,' thuirt MacDhùghaill.

'S bha a' feasgar brèagha blàth. An adhar gorm 's an corca abaich. Leig athair sìos a' speal agus shuidh iad ris a' chrìoch.

'Innsidh mi seo dhut,' thuirt athair, a' ghrian 'na aodann.

'Cho fad 's a bhios duine a' faicinn lochdan chàich os cionn a lochdan fhéin, cha bhi rath a-chaoidh air.'

Ghabh e balgam de bhainne tiugh.

'Sin agad-s',' ars esan, 'rud nach do dh'ionnsaich MacDùghaill a-riamh.'

Esan a' spiulgadh nam peasairean a bha fàs ri taobh a' chlàir.

Thainig a mhàthair a cheangal a' chorc agus thainig Traon Sheumais Alasdair le bucas beag dubh.

'Suidhibh ann a-sin,' thuirt an Traon. 'Gus an tog mi ar dealbh.'

Sheas e air am beulaibh agus sheall esan air an t-saoghal troimh chasan caol an Traoin.

'Dealbhan a bhios agam thall,' thuirt an Traon.

'Bi-tu cuimhneachadh oirnn a-réisd?'

'O bithidh. 'S mise gum bì sin.'

Bha e feitheamh gus an cluinneadh e a' fuam a dhèanadh am bucas, ach thainig fuam eile — dorus a' fosgladh — agus dhùisg e.

"Seo," arsa Nellie.

"Fàg a-sin e."

"Chan fhàg. Caidlidh-tu. Siuthad, suidh an àirde."

Chaidh e air uilinn agus ghabh e an copan bhuaipe. "Dearg ghéile ann an diugh," ars ise. "Dorus na bàthaich air a chlab nuair a dh'éirich mi."

"Cuine dh'fhalbh esan?"

"Bha i glé dhorch. Chuala mi fuam an doruis."

"Càinealachadh a' latha."

"Dé?"

"Chan eil càil."

" 'N aire mas dòirt thu sin. 'S na bi fada gun éirigh."

Dh'fhalbh i.

Dh'fhairich e cho sgìth.

Dh'òl e an tea cho luath 's a b'urrainn dha agus laigh e sìos a-rithist.

Càinealachadh a' latha. Bhiodh a' focal ud aca, càinealachadh.

Nuair a thilleadh a' samhradh, dh'éireadh esan tràth cuideachd — nuair a thilleadh na cuileagan — na h-eòin, tlachdmhor a bhi ag éisdeachd riutha, na h-eòin a bhiodh a' tighinn.

Dh'éireadh e mas éireadh a' ghrian. Agus dh'fhalbhadh e le toileachas, leis-fhéin.

Ghabhadh e a-mach an gleann, gu Blàr a' Chiop Dhuibh agus Garadh Mór Shanndaidh. A' rathad a ghabhadh iad gu baile.

Eadar sgìos agus cadal, dealbhan aosda 'na cheann. Chunnaic e e-fhéin agus athair aig Blàr a' Chiop Dhuibh 's bha a' ghrian ag éirigh.

'Seo an t-àm as fheàrr a th'ann,' thuirt athair.

Thainig Domhnall Beag an Dùin leis a' làir ruadh; thainig Calum agus Aonghas Bàn á Léinebroc, 's bha Coinneach Mór leis a' spréidh. Daoine móra, le guthan móra, le brògan trom. A' bruidhinn air rudan nach robh esan a' tuigsinn.

'Faigh mi dhan a chairt?'

'Foighnich dha Domhnall Beag.'

Shuas anns a' chairt bha e na bu mhotha na duine aca, a' sealltainn sìos air na bonaidean aca. Aodann Dhomhnaill Bhig, dearg, feusagach, a' coimhead suas ris:

'Có 'n duine mór a tha sin?'

'S iad a' tighinn gu iomall a' bhaile, far an robh féill a' chruidh.

Sluagh mór ann, agus mór-éigheachd.

Bha e miannachadh gun deidheadh iarraidh air fuireach anns a' chairt, ach b'fheudar dha cromadh.

'Fuirich thusa còmh' rium a-nis,' thuirt athair. 'Na caruich bho mo thaobh ... air do bheatha bhuan.'

Cha robh sin math idir. Chan fhaiceadh duine e, 's chan fhaiceadh e-fhéin ach an talamh, a bha dubh leis a' pholl. 'S cha robh làrach anns an talamh sin — ach a-mhàin na tollan a dhèanadh am bata — nach robh na bu mhotha agus na bu truime na làraich a bhrògan-sa. Dh'fhairich e aonarach. Nuair a thogadh e cheann chitheadh e aodainn ùra, le sùilean ùra agus sròinean ùra, ach bha an aire air crodh agus coin 's bha cabhaig orra agus dh'fhalbhadh iad agus thigeadh aodainn eile 's dh'fhalbhadh iadsan cuideachd.

Ach mu-dheireadh chunnaic Barabal e, agus thainig i thuige. Bha i bòidheach. Nighean mhór a bha innte, 's bhiodh i tighinn dhachaidh ás a' bhaile le rudan math thuca — orainsearan agus tofaidhean, thuige fhéin agus gu bràithrean.

Dh'fhalbh iad le chéile a-steach dhan a bhaile. Bha gréim aice air làimh air, 's bha i gàireachdainn:

'Iasgair tha gu bhi unnad-sa, nach e? Nuair a dh'fhàsas tu mór?'

' 'Se.'

'Chi sinn na h-eathraichean an toiseach a-réisd.'

Cha b' e eathraichean a bh'unnta, ach bàtaichean móra le dathan gorm agus geal agus uaine. Bha iad glé bhrèagha. Bhiodh iad bòidheach air an tràigh aca-san, 's bha e duilich leis gu robh iad ann a-siud. Fàileadh loit ann; fiù's na faoileagan fhéin nach robh a' coimhead mì-fhallain. 'S cha robh a' muir ceart. Cha robh gluasad air, 's an uair a sheall e sìos chunnaic e gu robh an t-uisge cho dubh ris an teàrr, scom salachair air uachdair.

Chaidh iad chun na sràide.

'Cha do chòrd e riut,' thuirt Barabal.

'Cha do chòrd.'

'Còrdaidh na bùithean riut gu-ta. Cuiridh mi geall.'

'An caomh leat-s' an t-àite seo?' dh'fhaighnich e dhith.

'O well.'

'Diabhult,' thuirt Coinneach.

Bha an t-uisge trom ann 's iad 'nan dithis a' dol gu faiceallach troimh'n bhaile. Agus chunnaic iad a' nighean ann an uinneag na bùth, a' glanadh agus a' sgioblachadh.

'Nach àluinn i,' arsa Coinneach.

Bha fios aca gum biodh i ann, 's an uair a thog i a ceann dh'aithnich e gu robh dùil aice-se riutha-san cuideachd. Cha do leig i aon sgriach aisde dhan trup seo; 's cha do ruith i gu càch a dh'iarraidh furtachd. Sheall i riutha agus rinn i gàire. Bha i cho toilichte gun dàinig iad a-rithist, 's bha coibhneas 'na sùilean. Chuimhnich e air sùilean Nellie nuair a choinnich iad a-rithist ann am baile mór aig toiseach Bliadhn' Ur. Bha i col'ach ri Nellie, a' nighean seo ris an robh iad a' coimhead, 's an t-uisge trom a' dòrtadh orra, 's am baile glas.

An ceann greis chuimhnich e gum biodh an fhéill seachad 's gum biodh iad a' feitheamh ris.

'Feumaidh mi falbh,' thuirt e. 'Feumaidh mi ruith.'

Ràinig e iomall a' bhaile, ach cha robh sgeul air duine.

'Na dh'fhalbh iad?' dh'fhoighnich e. 'M'athair. Na dh'fhalbh e?'

'Dh'fhalbh,' thuirt guth na chluais. ' 'S fhada bho dh'fhalbh 'ad.'

Ghreas e air a-mach rathad na mòintich, 's bha i fàs dorch. Beul a' chòmh-a-thràth ... bhiodh i dubh dorch mas ruigeadh e Bota-Cnàmh, 's bhiodh iadsan tèaruinnte am broinn an taigh — athair agus a sheanair agus Domhnall Beag ... dh'fhuiricheadh Domhnall Beag aca 'son oidhche ...

'S an uairsin bhuail e thuige gu robh iad marbh. Dh'fhalbh iad. Agus dh'fhalbh an fheadhainn a dh'fhalbh leotha. Agus dh'fhalbhadh esan cuideachd. Ann an ùine aithghearr bhiodh esan cuideachd ann an toll anns an talamh — toll beag cumhang grod — gun léirsinn, gun chlaisneachd, a chridhe 'na stad.

Diabhult fhéin, man a chanadh an Glaisean.

Ach dhèanadh e maorach ri tràigh an toiseach. Bha bàrdachd 'na cheann. Aon òran mór muladach. Dha'n fheadhainn a chunnaic a' rathad seo agus a choisich e. B'iad-fhéin a bha airidh air.

Choisich esan a-nis le ceum socair a-steach an gleann. Cha robh cabhaig, cha robh feagal air. Bha an oidhche ciùin. Chitheadh e a' solus air a' Ghil; solus na lamp air an uinneig. Agus dh'fhairich e a shùilean a' sileadh. Bha Nellie aige fhathast; agus bha Coinneach an Ard-nan-Claisean. Chluinneadh iadsan an t-òran mór, agus chanadh Coinneach: 'Glé mhath Ailein, glé mhath. Thoir dhuinn a-rithist e.'

Chunnaic e Coinneach 'na shuidhe ris an teine.

'Nuair a dh'fhalbhas sinne,' ars esan, 'cha bhi duine air fhàgail.'

'Cha bhì.'

'Na cnuic agus na creagan. 'S a' ghaoth a' séideadh.'

'Tha dearg ghéil ann,' thuirt Nellie.

Thug a chridhe leum as. Thilg e dheth na plaideachan, agus fhuair e e-fhéin air a dhà chas, air a' làr fhuar, a' tachais a chinn.

Cho luath agus a chuala Nellie e, a' sporghail agus ag uspairtich shuas anns a' rùm, thòisich i a' deasachadh na bracoisd.

Nochd e, agus ghabh e mach seachad oirre, a' dùnadh phutanan. Baraille 'm broinn baraille 'm broinn baraille.

Bha i fuar geàrrte, 's cha mhór nach do thachd a' ghaoth e. Bha sruth bho shròin agus bho shùilean, ach fhuair e anail, agus lorg e àite fasgach.

Chrùb e sìos agus thòisich e a' meòireachadh:

Ard a' mheadhoin-latha 's iongantach … ud-ud-ud … cha dèan seo a' chùis. Bu chòir dhomh bhi 'g éirigh nas tràithe. Mo làithean a' dol seachad gun fhiosd dhomh

... mo cheann 'na bhrochan a's a' leabaidh ud.

Leisg éirigh ... an aois orm agus feagal roimh'n fhuachd.

Feagal ... feagal gun caill mi ceannsail air m'aotroman, gu falbh mo chom troimh 'n oidhch' ... man a thachair dha Domhnall Beag — leanaban aig deireadh a latha.

Co-dhiùbh, tha mi fallain gu leòir fhathast. Agus ghléidh mi mo shubhailcean. Dubhagan agus subhailcean, fallain fhathast.

'S chan eil móran ri dhèanamh a-nis. Ach a bhi cuimhneachadh ... air daoine, agus rudan a thachair ... 's cha do thachair móran.

Thachair mi ri Nellie.

Agus a' cuimhneachadh air peacadh m'òige, 's na lochdan a rinn mi. A' cuimhneachadh gu h-àraid air na lochdan nach do rinn mi — 's bi aithreachas orm an uairsin.

Cha robh mi calm; cha robh mi duineil.

Cha b'e duine duineil mi; duine duineil, smiorail. Buigneag a th'unnam. Cus saill, geir is blanaig. 'S bha 'n t-uamhas uisg a' ruith orm, tuiltean mo chinn.

A-mach á maduinn shàmhach shamhraidh.

Bréid ri thóin is brògan mór.

Thainig esan.

'S bha 'n dealta trom a' dòrtadh air.

'S na deòir a' ruith bho shùilean ... iongantach man a lean an dealbh ud rium.

Agus aon dealbh eile a lean rium — an duine seo, 's e 'na laighe air a' mhol, feasgar dorch geamhraidh. 'S cha robh càil 'na phòcaidean ach clachan-meallain ... 's bha a' ghaoth a' togail falt a chinn.

Mo cheann-sa 'na bhrochan ... a' caitheamh nan cairteilean a-measg na mairbh.

Chuala e Nellie ag éigheachd ris, agus sheas e. Bha an cóig-bhliadhnach a' cnàmh a chìr ri tigh nan cearc. Thug e binn a-mach air a' chóig-bhliadhnach ... mharbhadh Coinneach e. Sgamhanan agus blanaig ... fuil is duis. An truaghan, 's e cho neochiontach dòigheil a-measg nan caorach ... cha mharbhadh; dheidheadh a dhubadh còmh' ri càch, 's bheireadh e dhà plug, 's bhiodh e 'na shia-bhliadhnach as t-earrach. Dhèanadh e leisgeulan dha Coinneach: b'fheudar dhomh innse dhith, 's chaidh i glan ás a ciall ... tuigidh tu-fhéin a Choinnich, 's beannaichte luchd-gléidhidh na sìth ...

Sùilean biorach Choinnich — a' coimhead ris, a' tuigsinn.

Bu mhath dhaibh gu robh Coinneach ann: iasgair chuain agus chaolais, cas a shiùbhladh na mullach.

" 'S tu thug an ùine," arsa Nellie. "Bha dùil agam gun dh'fhalbh an abhainn leat."

"Tha mi air mo ragadh," ars esan.

"Carson nach deacha-tu dhan a bhàthach leis? Samhail a' latha 'n diugh ..."

"Cha dainig latha 'm bliadhna cho fuar."

"... an cunnart galair do bhàis fhaighinn. Siuthad ith do lit."

Geamhradh mór eile a' tighinn. 'S cha b'ann le carthannas. Bhiodh e math dha-rìreabh a-nis nan caidleadh iad; nan deidheadh na làithean dorcha seachad, agus iadsan 'nan cadal, seasgair, blàth. A' dùsgadh a-rithist nuair a dhùisgeadh an talamh; maduinn ùr earraich, an t-uisge glan air d'aodann, agus aotrom do cheum.

Ach bha an geamhradh 'na gheamhradh, 's bhiodh a' ghaoth bho'n iar-thuath, a' tighinn le fuachd agus frasan; na lòintean làn agus na sruthanan 'na leum. 'S a dh'aindeoin teintean móra bhiodh òrdagan reòidht agus sròinean a' sileadh. Cha b'ann socair a bhiodh an cadal dhaibh, 's cha bhiodh an gluasad ach mall.

"Feumaidh mi bhi 'g éirigh nas tràithe," ars esan.

"O."

"Chan fhiach a bhi call na maduinnean. Dùisg thusa mi, cho luath 's a dh'éireas tu-fhéin."

"Dé dh'fhairich thu?"

"Iormaidh."

"Mo chreach."

"Nuair a bha mi muigh an dràsda ... mo shùil air na

neòil 's mi faicinn gu robh maduinn eile air a dhol seachad ... well, bha iormaidh orm. Cha bhi móran dhiubh ann tuilleadh ... dhòmh-sa co-dhiùbh, 's mi le mo chridhe."

"Do chridhe?"

" 'Na àmhghair dhomh."

"Chan eil ann ach gaoth. Losgadh-bràghad."

"Dìreach ann a-seo ... gathan ... eagallach gort. Bi mi call m'anail, 's chan fhaigh mi air gluasad."

"Gaoth."

"Gaoth! Dé riabhach a' ghaoth? Bha m'athair le chridhe, mo mhàthair agus mo sheanair — 's ma 's math mo chuimhne, bha agus mo sheanmhair Léineabroc. Agus tha mise le mo chridhe — fios deamhnaidh math agam gu bheil rudeigin fada ceàrr air."

"Ha!"

"Ach innsidh-tusa dhomh — 's tu dh'innseas — nach eil ann ach gaoth! Gaoth!! Nuair a bhios mi cho marbh ri sgait, cana' tusa gaoth!!"

"Chan eil càil ceàrr ort nach slànuich aon brùc mhath."

"Chan eil nach eil! O nach eil!"

"Cha leig thu leas a bhi 'g éigheachd."

"Có tha 'g éigheachd?"

"Thusa."

"Bheil."

"Tha."

"Cha robh fios 'am. Chan eil cothrom air ... droch chlaisneachd."

Thug e mach a phìob is chuir e suas ceò. Cha robh e gu feum sam bith a bhi reusanachadh rithe. Gaoth ... losgadh-bràghad ... aon brùc ... dé b'urrainn dhut a radh ri sin? Co-dhiùbh, co-dhiùbh ... bu mhath dhà-san gu robh e foighidneach. 'S bhiodh iad ag radh gu faigheadh foighidean furtachd ... bhiodh ma-tha, an fheadhainn a bhiodh ag radh rudan ...

"Thainig rud eil a-steach orm," ars esan. "A-muigh a-siud. Ceisd mhór. ... Dé dhèanadh sinn nam bàsaicheadh Coinneach?"

Cha duirt i dùrd.

"An diugh fhéin," ars esan. "Nam bàsaicheadh e 'n diugh fhéin."

"Well ... cha bu bheag sin."

"Có mharbhadh caora dhuinn? Cearc."

Sheall i ris.

"Do bhroinn a dhèanadh dragh dhut?"

"Cha mharbhainn-sa caora," ars esan, "air na chunna mi geal. An aon trup a chaidh mi chuideachadh m'athair — a' dèanamh balach mór — chuir mi mach rùchd mo chaolanan."

"Och, isd."

"Ach tha mi creids' gun tugainn ionnsaidh air cearc. ... Well, nam biodh an t-acras mór oirnn ... 'se 'n t-acras a bheireadh orm a dhèanamh. ... B'fheàrr a bhi beò air buntàt agus lit."

"Cha bu dona 'm biadh e."

"Buntàt agus lit?"

"Seadh."

"Chuireadh e crìoch orm. Mo stamag."

"Hm."

" 'S bhiodh tusa 'n uairsin leat-fhéin. Mis' agus Coinneach ann an cladh Thómais ud a-stigh. Smaoinich ort. Gun phiuthar, gun bhràthair, gun luchd-dàimh. 'S gun dùil ri litir."

Bha an t-uisge a-muigh. Bheireadh sin a' ghaoth sìos, 's cha robh fios nach biodh a' feasgar sìtheil séimh. Thug iad greiseag 'nan tàmh, ag éisdeachd.

"A' fuiricheadh-tu ann a-seo?" dh'fhoighnich e.

"Chan eil fhios am ... bliadhnachan móra bho thàna' mi ..."

"Tha ..."

"Mar aisling dhomh an diugh ... saoilidh mi nach robh e riamh ann."

"Bliadhnachan a dh'fhalbh."

"Bha mi cuimhneachadh a-raoir air an oidhche thàna' tu leam. Cuimhn agad? Toiseach an fhoghair. 'S bha i air driùdhadh oirnn chun a' chraicinn."

Thug e sùil oirre, agus dh'aithnich e gu robh i dol a

shaoghal eile a-nis 's nach biodh a còmhradh rise-san. Leigeadh e sin leatha, ach cha leigeadh e dhith a dhol ro fhada. Uaireannan dheidheadh i glé fhada … fad' air falbh … cha bhiodh sgeul oirre.

"Bha mi toilicht am baile mór fhàgail," thuirt i. "Ach bha iormaidh orm cuideachd. Ged a bha thusa còmhla rium, bha iormaidh orm … a' dol a dh'àite ùr. 'S bha mi tinn air a' bhàta, cha ghleidhinn mo bhiadh … an t-iasg 's am buntàta ròsd a fhuair sinn, cha robh còir agam strucadh unnta.

"Cuimhn am cho taingeil 's a bha mi gu robh thu 'na do chadal … nach fhaca-tu mi a' dìobhart 's a' gòmadaich, 's mi fiachainn ri mo chumail fhìn snog dhut. Bha thu 'na do chadal — shìos gu h-ìosal 'na deireadh. 'S cha do dhùisg thu gus na ràinig i leinn.

"D'athair ann a-sin, a' feitheamh rinn … air a dhòigh, ag innse dhomh man a dh'éirich dhan a chas aige. Cha chuala mi riamh deireadh na sgeula …"

"Cha robh deireadh oirre."

" 'S an uair a ràna' sinn, cho aoidheil 's a bha chula duine … cho snog … do mhàthair agus màthair Choinnich … Barabal ag radh gu robh farmad aice rium … 's cha robh i tuigs' carson a dh'fhàg mi am baile, carson a bha farmad agam-sa rithe-fhéin …

" 'S bha a' phìob-chiùil a' dol math, nach robh? Aonghas Bàn agus aodann air bòcadh … a shùilean gos tuiteam a-mach ás a cheann. 'S chaidh d'athair a dhanns … Calum a' lachanaich 'ga choimhead agus mise lag a' coimhead Chalum.

" ' 'S fhiach each math breab a leigeadh leis …' Có seo a-nis a' thuirt siud? Calum no Coinneach Mór. … Cha chreid mi nach e Coinneach. … 'Se. … Dh'iarr do mhàthair air a dhol a-mach le d'athair, 's a cheann a bhogadh a's an allt. … Ach bha na h-abhrain air tòiseachadh … agus h-abair ceòl an uairsin."

"H-abair fhéin e."

"Agus h-abair oidhche. Cha robh iormaidh na iormaidh orm-sa tuilleadh."

Bha an t-uamhas còmhradh a' ruith oirre, agus bha a

cheann-san 'na bhrochan. Sheall e rithe. Cha robh ise 'ga
fhaicinn-sa idir.

"Cha bhiodh e idir furasd dhomh," thuirt i rithe-
fhéin.

"Dé?"

"Falbh ... an t-àite seo fhàgail ..."

"Eil deur air fhàgail a's a phoit?"

"... a' dol a-mach an gleann 's gun dùil tilleadh ..."

"Hoi!"

"Dé? ... O seadh. Thà. Tha gu leòir innte."

"Leth a' chopain."

"Eil thu fàs sgìth ag éisdeachd rium?"

"Mo cheann 'na luairean."

"Dùisgidh mi nas tràith thu."

"Dùisgidh. B' fhèarrda mi sin."

"Bhithinn air do dhùsgadh an diugh, ach bha sinn
cho fada gun a dhol innte."

"Cha do chum sin esan gu-tà."

"Co-dhiùbh, a-nochd ..."

"Glagaidh-ho."

"Dé?"

"Glagaidh-ho ... esan, a' fear caol."

" 'S tusa thug sin air."

" 'S mi. Thug esan a' Sgudalair orm-sa."

"Chan e cho glagach 's a tha e."

"Chan eil an diugh. Ach uaireigin, nuair a bha sinn
beag ... shaoileadh-tu nach deach a chuir ri chéile ceart
— gàirdeanan agus casan a' dol a-chula taobh. Bha
sabaid ann ..."

Bha an t-sabaid air an t-Sàbaid ann am Buaile-na-Crois.
Bha bothag aca ann a-sin, agus lòin, agus sruthanan.
Agus 'se àite math a bh'ann, 's cha bhiodh na daoine
móra a' cuir dragh orra.

Rinn e samhradh àluinn, a' samhradh ud. Cha robh
samhradh òige a' tighinn gu chuimhne ach 'na
shamhradh àluinn, grìanach, ion-mhiannaicht. Mura
biodh cuileagan agus greumairean. Na greumairean

odhar, agus an fheadhainn a tha nas motha na sin —
iadsan le na cinn uaine, a tha daonnan tartmhor, agus
déidheil air d'fhuil, agus a laigheas aotrom air cùl
d'amhaich, cùl do ghlùinean.

Ràinig esan a' Bhuaile tràth air an fheasgar. Cha robh
Coinneach ri fhaicinn, agus chòrd sin ris — gheibheadh e
air rudan a dhèanamh; shealladh e ris a' Chasg.

An Casg seo a chaisg an t-Allt Ruadh: rinn iad e le cip
agus clachan. Bha e mór; na bu mhotha na gin a rinn iad
a-riamh, agus bu mhór a bha iadsan a' saoilsinn dheth.
Gu h-àraid Coinneach, a bhiodh a' saothrachadh ann
leis-fhèin.

Cha robh e ceart gum biodh Coinneach a' dol ann
leis-fhèin. Bha an t-àite leis an dithis aca, 's cha robh còir
aig an dàrna duine an car bu lugha a dhèanamh gun an
duin' eile còmhla ris. Ach bu shuarach sin le Coinneach;
agus glé shuarach leis-san air an fheasgar Shàbaid
shamhraidh ud.

Bhuain e cip agus chruinnich e clachan. Domhnall
a' Chladaich a bh'ann an toiseach, a' clachaireachd
bàthach Choinnich Mhóir:

'Siuthad a-nis a Choinnich, sìn thugam 'ad ... fag an
té sin. ... A Ruairidh! a' chlach ghorm a tha sin ... buail
an t-òrd oirre ... air do shocair a-nis ... ha! bha mi dhan
a bheachd, cho breòit ri breòit ... teas na gréine charaid,
teas na gréine 'gam breothadh ...'

Ach cha robh fada gus na dh'fhàs e sgìth dha
Domhnall a' Chladaich, agus rinn e e-fhéin an uairsin 'na
dhuine mór, 'na chlachair ionmholta, shuas gu h-àrd air
a' ghéibheil a b'àirde bha 'san t-saoghal. Agus bha
sluagh mór air cruinneachadh gus a faiceadh iad an
duine seo a bha cuir a bheatha-fhéin ann an cunnart. Bha
uamhas orra, agus iongnadh. Ach bha an duine eòlach,
grinn agus sgileil. Sheas e air aona chas gus a faiceadh iad
cho sgileil 's a bhà e. Agus an uairsin bhìd an greumaire e.

Chuir a chridhe car-a-mhuiltean, agus leig e ràn
iargalt ás, mas do thuit e air a thóin air clachaireachd
Choinnich. Dh'fhalbh an Casg. Dh'fhalbh e leis an
t-sruth. Bu chianail a' sealladh e.

Thàinig Coinneach.
'Hoi bhalaich!'
'Dé?'
'Dé rinn thu? Dé rinn thu air a' chasg?'
Dh'innis e.
'Greumaire?' thuirt Coinneach.
'Seadh, biasd mhór — cho mór ri sin — le ceann
uaine agus rudan man adhaircean.'
'Tha thu breugach.'
'Chan eil.'
'Tha. Tha thu 'g innse nam breug.'
'Chan eil ma-tha.'
'Thana' tu ann a-seo tràth nach dainig?'
'Carson nach tigeadh?'
'Thana' tu bhriseadh a' chasg. Nach dàinig?'
'An casg agams' a bh'ann cuideachd.'
' 'S e cù duine th'unnad.'
' 'S e 's a th'unnads'.'
Thainig Coinneach faisg. Ach stad e.
'Sgudalair,' thuirt e. 'Sin a th'unnad. Sgudalair gun
fheum.'
'Tha thusa cho math.'
'Tha. Nas fheàrr na Sgudalair co-dhiùbh.'
Bha esan 'na éigean a' lorg ainm dha Coinneach —
ainm math, a ghearradh troimhe chun na smior-
caillich.
'Chan fhiach thu mallachd a' cheàird,' arsa
Coinneach 's e ri falbh. 'Mise dol a dh'fhaighinn àite
dhomh-fhìn. 'S chan fhaigh thusa faisg mìle air.
Cuimhnich sin.'
Thug e sùil air a's an dealachadh.
'Ha!' dh'éigh e. 'Sgudalair!! Sgudalair gun fheum!!!
Ha-Ha-Hà-i!!!'
Dh'fhalbh e. A chasan caol agus uilinnean.
An uairsin bhuail e thuige, man gath dealanaich:
Glagaidh-ho. An dearbh ainm:
'Glagaidh-ho!'
Sheas e air tom agus dh'éigh e àird a chinn:
'Glagaidh-ho! Glagaidh-ho!!'

Agus thill Coinneach. 'S bha na casan caola siùbhlach.

"Bha sabaid ann," ars a' Sgudalair. "Agus làirne mhàireach bha sìth ann."

"A' cheud trup a choinnich mise ris," arsa Nellie, " 'se Gandhi a bh'agad air. Seo Gandhi, asa tusa ..."

"Gandhi. Chòrdadh sin ris."

"Chòrd."

Thug i lit is bainne dhan a chat. An cat cadalach — ro aosd a-nis, saoirsinn aig druid is luch.

An ceann greis thuirt i:

"Tha Barabal gu math nas sine."

"Barabal?"

"Cha tigeadh i idir."

"Carson a bha i dol a thighinn?"

"Nam bàsaicheadh Coinneach."

"O seadh."

"Ach chuireadh sinn fios thuice. Chan eil fhios nach tigeadh cuideigin. Bha clann aice, nach robh?"

"Fuirich a-nis ort," ars esan. "Bha Barabal co-dhiùbh ochd bliadhna na bu shine na sinne. Bhà ... ochd bliadhna ... pailt ..."

"Bha."

" 'S bi sin 'ga fàgail a' streap gu math ris a' cheithir fichead, nach bi? Ma tha i beò."

"Well. Thainig céic na Bliadhn' Uir."

"Thàinig. Ach cha dàinig Barabal."

" 'S chan eil sgeul air Coinneach Beag."

"Chan eil."

"Neònach nach do thill."

"Cha tigeadh duine," ars esan. "Duine beò."

Sheas e, agus sheall e mach air an uinneig.

"Co-dhiùbh," thuirt e, 's e ri glanadh na speuclanan, "bi mise ri taobh m'athair fada roimhe. Tha Coinneach cho fallain ris a' bhreac."

"Cà'l thu dol?"

"Tha turadh ann. Ruigidh mi e."

"Fuirich ma-tha. Fuirich gus an glan mi na botuil."

"B'fheàrrda mi cuairt."

Bha e 'ga coimhead, a' dol bho bhonn an dreasair gu bonn a' phris, a' tional nan tiodhlacan làitheil a bhiodh esan a' toirt gu Coinneach: dà bhotul agus peile air an deagh sgoladh; ìm ùr, gruth is bàrr, breacag arain.

"... paidhir shocais agam dhà cuideachd," ars ise. "Cuir thus' umad do chòta mór ..."

"Sheall mi dhut a' rath-thiodhlaic againn?"

"Dé?"

"Aithnichidh-tu a' rath-thiodhlaic?"

"Aithnichidh. B'fheàrr dhut am balaclàbha a chuir ort fo do bhonaid ... tha i glé fhuar cuimhnich ..."

"Woill ... éisd ri seo a-nis. Bheir thu leat a' spaid agus a' gheamhlag, 's ni thu toll mór — sia troighean a dhoimhneachd ..."

"Mise?"

"Cuidichidh esan thu, agus ..."

Thog i colair a chòta mu amhaich.

"Na bi ro fhada nis — iasg agus buntàt nuair a thilleas-tu."

"Chan eil thu 'g éisdeachd ri facal a tha mi 'g radh."

"Thà, thà. Ni mi toll mór leis a' spaid ..."

"Cuidichidh mac Choinnich Mhóir thu ..."

"Gun teagamh."

"Agus seinnidh e salm. Troimh shròin."

"O nach isd thu. Fhala, ma tha thu falbh."

"Tha e math orra. Agus fhad's a bhios esan a' seinn, bi-tusa rànail 's a' rànail."

Stad e aig an dorus.

"Agus an uairsin," ars esan, "théid an dithis agaibh dhachaidh. 'S cha bhi 'n còrr ann."

Sheall iad ri chéile, agus thòisich iad a' gàireachdainn.

"Chaidh na cait a dhanns," thuirt Nellie.

8

Leis fhéin aig an tocasaid, Coinneach Meadhonach, mac Choinnich Mhóir, fear-gléidhidh Ard-nan-Claisean. Pronnagan beaga cruaidh de mhìr-corc 'na fhiaclan, a' cumail obair ri theanga; a shùilean air a' rathad a ghabh a' Sgudalair dhachaidh. Chaidh a' latha gu math leis ... chaidh gu dearbha. Latha math, frasach, fuar.

Dh'fhàg e Gil-a'-Chlamhain glé thràth, e-fhéin agus Teàrlach. Cha do dhùisg iad duine. Bha ghaoth 'na aodann fad na slighe, agus chòrd sin ris. Rinn e còmhradh àrd.

'Eil thu faicinn a' chnuic sin, ann am mullach na beinne? An Tom Geur, sin an Tom Geur. Woill a dhuine, innsidh mise seo dhut: seas thusa 'na mhullach air latha geal samhraidh, agus chì thu siorruidheachd de mhòinteach mun cuairt ort — lochan agus cnuic agus glinn, uillt agus lòin — 's chan eil aonan dhiubh gun ainm. Chan eil aonan. 'S nach eil sin-fhéin iongantach.'

An duine ri sgrìobhadh aig peileir a bheath. Ach dh'fhàs e sgìth dheth, agus thòisich e a' bruidhinn ris a' Sgudalair, a' cuir ceart a' chàirdeis dha. Cha b'e mhàin gun rinn e soilleir dha an càirdeas a bha eadar e-fhéin agus Traon Sheumais Alasdair, ach chuir e an céill dha cuideachd, le bhi dol air ais gu dubh-sheanair Aonghais Bhàin Léinebroc, an càirdeas a bha aig na Bànaich sin ri Bean a' Ghlaisein. Mas do ràinig e an fhaing bha e air càirdean a lorg dha Fionnlagh Beag an t-sruthain, agus dh'aithnich e an uairsin gu robh e air a dhol ro fhada, agus gum b'fheàrr dha stad mas cailleadh e e-fhéin buileach glan. 'S beag a bha dh'fhios aig Fionnlagh Beag fhéin — a-réir beul aithris — có bha càirdeach dha, có nach robh.

Leig e anail aig an fhaing, agus ghabh e dà abhran
ann a-sin. *Mo Nighean Dubh*, an t-abhran a bhiodh aig
Calum Bàn làithean móra na Bliadhn' Uir:

> Mo nighean dubh, tha bòidheach dubh,
> Mo nighean dubh, na tréig mi
> Ged theireadh càch gu bheil thu dubh
> Cho geal 'san gruth leam fhéin thu ... ahmmm.

Cha chualas a riamh aig Calum ach an aona abhran
ud. Thug esan a chreids' gu robh e ann an cuideachd
mhath de dhaoine a bha déidheil air na h-abhrain:
'Well a riabhach a Choinnich ... 's math a ghabhas
tu 'ad.'
' 'S ann agad-fhéin a tha 'n guth ...'
'Siuthad a-nis. Siuthad thoir dhuinn fear eile.'
Agus thug e dhaibh fear de dh'abhrain Ailein
Ruairidh. B' esan seanair a' Sgudalair, athair athair, agus
bha e a' fuireachd ann am bothan ann an Ard-nan-
Claisean mas do phòs e Cairstiona Ruadh Dhomhnaill
Bhàin a bh'ann a Lèinebroc.

> Hmmm ... ah!
> 'S ann orm-sa tha fadachd, gu ruig mi am baile,
> 'S ann orm-sa tha fadachd, gu ruig mi an t-àit',
> 'S an robh mi 'nam bhalach
> Gun uallach air thalamh
> Ann am bothan beag beannaicht'
> Os cionn na Tràigh Bhàn ... ummm.

Thuirt athair ris gun duirt athair-fhéin gu robh
Ailean Ruairidh a's an Eipheit nuair a rinn e an t-abhran
seo.

> Hmmm ...
> 'N àm éirigh 'sa' mhaduinn, bu bhòidheach
>   a' sealladh
> Bhi faicinn a' chladaich is tonnan a' chuain;
> Na h-eòin 's iad le chéile
> Gu binn-ghuthach gleusda,
> Bu taitneach leam-fhéin
> A bhi 'g éisdeachd ri'n duan ... aa.

Bu bheag an t-iongnadh gu robh gibhte na bàrdachd aig an ogha. Bha suas ri fichead rann anns an abhran seo a rinn Ailean Ruairidh 'na cheann, agus sheinn esan, an aghaidh na gaoith, deugachadh math dhiubh.

'Sin thu-fhéin a dhuine. Cum a' dol 'ad.'

'Daingead a Choinnich, tha thu math.'

'Cum a' dol 'ad. Cum a' dol 'ad ...'

Ach cha b'urrainn dha. Cha robh an anail ann a sheinneadh abhran an deidh abhran an deidh abhran mar a dhèanadh e uaireigin 's e coiseachd mile air mhìle leis fhéin 's a' ghaoth 'na aodann.

Bu chaomh leis bho òige a bhi falbh leis-fhéin — suas ri na cladaichean agus tarsuinn na mòintich — a' còmhradh agus a' seinn. Bhiodh feadhainn ag radh nach robh e ceart dha duine a bhi bruidhinn ris fhéin, gu robh rudeigin fada ceàrr air an duine sin, a-stigh 'na cheann.

An Glaisean a bha 'na aobhar air a' cho-dhùnadh seo. Chaidh iad chun an taigh aige, ann a rùn a stiùireadh chun na slighe cheart, le dòchas gu fosgladh iad a shùilean co-dhiùbh. 'S cha robh iad air toiseach tòiseachaidh a dhèanamh nuair a dh'òrduich e a-chula duine dhiubh a thigh na galla.

'Chuala mise,' thuirt fear ann a seanais, 'gum bi e a' bruidhinn ris fhéin.'

'An cuala-tu siud?'

'Bi e bruidhinn ris fhéin.'

'Mas breug thugam i, is breug bhuam i.'

'Carson nach do dh'innis thu dhuinn?'

'Dhuine bhochd, nach eil sin fhéin ag innse rud dhut.'

'Rudeigin fada fada ceàrr air.'

'Dé do bheachd-fhéin?' arsa fear ri Seonaidh Dubh.

Agus chuir Seonaidh Dubh beill ris.

Bha Goromal bhochd air a maslachadh.

An fheadhainn seo a bhiodh ag innse dhaibh dé bha ceart agus, gu h-àraid, dé bha ceàrr: bha aodach dubh orra agus aodainn gheal agus bhiodh iad a' cuir a làmhan air gach a-chéile gun sguir. An uair a bha esan beag bhiodh iad 'ga ghlacadh agus 'ga chionacnadh le na làmhan sin, créiceal neònach aca 'na chluais. Cha bhiodh iad a' gàireachdainn idir. Bha iad na b'eagallaich na'n tàirneanaich, na b'uamhasaich na'n trom-laighe.

'Seo iad a' tighinn,' chanadh a mhàthair 's i aig an uinneig. Bha feagal air. Bha iad cunnartach.

'Mise falbh,' chanadh e.

'Mise cuideachd,' chanadh Coinneach Beag.

Ach nam biodh an athair a-stigh cha charuicheadh iad. Cha robh nì fo'n ghréin a dhèanadh cron orra an uairsin.

'Leigidh sinn leotha,' chanadh athair. 'Ach ma thòisicheas 'ad leis a' mhì-mhodh, tilgidh mi mach 'ad air ghoic amhaich.'

Chunnaic e 'na chadal iad. Bha e ceangailte ri bòrd a' mharbhaidh ann a meadhon làir an t-sabhail, agus bha iadsan 'nan seasamh dìreach, ris gach balla. Bha iad a' coimhead ris le sùilean móra, na h-aodainn aca glas. Dh'fhosgail fear a bheul:

'Balach beag caillt,' thuirt am beul seo a bha mór agus dearg.

'Balach beag caillt,' thuirt beul dearg eile.

Na sùilean aca a' lasadh, thog iad uile gu léir na focail seo agus theann iad a' gluasad thuige bho gach taobh. Aodainn ghlas agus beòil dhearg:

'Balach beag caillt! Balach beag caillt!!'

Dhùisg athair e. Bha e a' rànail leis an fheagal agus cha robh ball dha chorp nach robh air chrith.

'Dé bh'ann a ghraidh? Dé chunna tu?'

Dh'innis e, agus thuirt athair:

'Chan fhaigh iad faisg ort a bhalaich.'

'Bha 'ad a' dol 'ga mo mharbhadh.'

'Tà cha do mharbh. Ge b'oil leotha ...'

'Chuir 'ad feagal orm.'

'Chuir. Ach fuirich gus an innis mi seo dhut: tha thusa fada nas làidir na iadsan. Cuimhnich sin.'

'Bheil?'

'Tha. Fada nas làidir.'

'Cha déan 'ad a chùis orm-sa. An dèan?'

'Cha dèan gu dearbha.'

'Ge b'oil leotha.'

'Sin thu fhéin. Caidil a nis.'
Chuir e ás a' lamp.
'Chan fhaigh 'ad faisg ort a-chaoidh a Choinnich,'
thuirt e gu socrach. 'Cuimhnich sin. Chan fhaigh 'ad
faisg ort-sa.'
Agus cha d'fhuair.

Bha a' ghaoth air a thighinn gu àirde mhór mas do ràinig
e Ard-nan-Claisean. Ach chum e gréim teann air a
bhonaid, agus thug a chasan caola sàbhailt gu dorus an
t-sabhail e. Bha a' sabhal aige làn, 's cha b'ann a-mhàin
le arbhair agus buntàta.

Bha na rudan àbhaisteach ann: spaidean, tairsgeir,
gràp no dhà; geamhlag, geàdha, mapaid-tearraidh;
croman, tóbha, sean chrann-tóbhaig, agus cliathan; forc-
feòir agus ràcan agus sìoman gu leòir. Bha a' speal
crochaicht ris a' bhalla, agus bha slatan cuilc creagaich
tarsuinn air na sparran gu h-àrd.

Bha rudan neo-àbhaisteach ann: criathar, guit, agus
ruideal; sùisd agus buailtean; crùisgean criadha agus
lampaichean dubha, cuinneag, pigean, agus prais mhór
thrì-chasach — a' phrais anns am biodh a mhàthair a'
dèanamh na nigheadaireachd. Bha diollaid agus srathair
an eich ann, a cholair 's a chruidhean. Agus ri taobh bòrd
a' mharbhaidh bha seathair-baraille Dhomhnaill a'
Chladaich. B'fhada bho bha dùil aige a' seathair-baraille
a thoirt a bhroinn an taigh — cha b'e sabhal àite dha idir
— ach bhiodh e diochuimhneachadh, no dh'fhalbhadh
an cadal leis — an cadal-ceàrnach nach b'fhiach — agus
dhùisgeadh e le car 'na cheann, a' mionnan dhan a-chula
seathair a chaidh a dhealbh a-riamh.

Bha rudan annasach eile anns an t-sabhal aige:
glionngagan agus géillean bà; an gleoca mór tuathal a
thug a sheanair ás na h-Innseachan; feadan Aonghais
Bhàin, agus an fhiacail mu dheireadh a thainig ás carbad
Ruairidh na Speuclanan. Chaill Ruairidh an fhiacail an
uair a thuit a' chlach air, a' chlach a dhiùlt na
clachairean. Bha ise anns an t-sabhal cuideachd.

Thug e greiseag 'na shuidhe anns an t-seathair, a' coimhead ri na rudan sin, a bha toirt làithean eile gu chuimhne. Ach bha e faireachdainn math — dhèanadh e obair — chairteadh e bhàthach — spionnadh gu leòir 'na chnàmhan fhathast.

Rinn e dà mhuillean mhath corc agus chaidh e thuca leotha — a' bhó ruadh agus a' bhó bhreac, dìreach man a dh'fhàg e iad, toilicht fhaicinn a-rithist. Rinn iad gnùsdaich chridheil, chàirdeil.

"Bha mi céilidh," thuirt e, 's e ri fàsgadh na sinean. "Bha mi céilidh air Ailean agus Nellie. 'S bha oidhche mhór againn. Bhà. Robh sibh 'ga m'ionndrainn? Robh duine timchioll a-seo bho dh'fhalbh mi?"

Duine foghlumaicht 's dòcha, a chaidh iormall a-measg nan creagan. Fear a dh'innseadh aois nan clachan.

Ach cha bhiodh e beò, an duine sin, an duine toilicht a thachair ris air feasgar samhraidh. Bha e gu math na b'aoisde na esan ... bhà. Chan fhaiceadh e tuilleadh e. 'S nan tigeadh fear dha sheòrsa, cha b'urrainn dhà-san a-nis a dhol 'na chòmhradh. Bha e ro aosda son aodainn ùr agus briathran nach tuigeadh e ro mhath.

Leum an cat cléigeach sìos ás a' chonnlach, earball an àirde, agus a shùilean cadalach. Sealgair seang na monaidhean; sìol a' Phluicein.

"Glé eòlach air do ghnùis-sa gu-tà. Agus air do chol'as."

Lìon e cuach bainne dha.

"Seo a bhròinein," thuirt e. "Bainne blàth bho ùgh na bà, bheir dhutsa slàint o'n t-sìatuig.

"Sìatuig ort? Eh? A reubaltaich air do chasan. ... Seall cho sgìamhach 's a tha 'n dithis seo."

Man dà bhanrigh'nn, an té bhreac agus an té ruadh. Ghlan e iad le bruis, agus chìr e bun an earbaill. 'S bha iadsan coma ged a bheireadh e fad a' latha ris an obair sin. Ach bha cearcan agus coilleach ag iarraidh frithealadh cuideachd.

"Cha ghabh e bhith," thuirt e ri Teàrlach, "gu bheil eanchainn unnta. Seall fhéin air na cinn a tha sin."

Sheall Teàrlach rise-san le shùilean donn nach robh

a' tuigsinn ciamar a bha e comasach dha duine sam bith a dhol a bhruidhinn air rud cho amaideach ri cearc.

"Tha fradharc agus claisneachd aca ceart gu leòir ... Ach eanchainn, daingead a bhalaich ... dé?"

Teàrlach, le eanchainn fhéin, air a ghonadh. Dé bu chòir dha a dhèanamh — smùid a chuir ás na h-itean aca, no a' fàgail aig fois, a' gògail 's a' gobadaich?

"Ach tha iad fialaidh le na h-uighean," thuirt esan, a' dùnadh an doruis orra. 'S chaidh e-fhéin 's an cù a-steach an tigh.

Chuir e air teine math agus rinn e biadh: lit, uighean, agus bainne gu leòir — biadh a laigheadh aotrom air a stamag. Agus an deidh dhaibh ith, shuidh e-fhéin agus Teàrlach mu choinneamh an teine. Chaidh a' mhaduinn seachad gun fhios dha.

Cha do chaidil e idir. Ach mar gum b'ann ann a' suain chunnaic e athair air a' leabaidh, air a dhruim, marbh. Cionnus a thuit na cumhachdaich — chan fhaigheadh e gu bràth seachad air.

Toiseach a' gheamhraidh thuirt Coinneach Beag riutha gu robh esan a' falbh.

'Cà 'l thu dol a Choinnich?' dh'fhoighnich a mhàthair.

'Africa.'

Shìos air an tràigh bha a shùilean a' deàrrsadh:

'An duine seo ris na choinnich mi — air a bhi ann bho chionn ochd bliadhna deug, 's chan iarradh e ás. Bha e air feadh an t-saoghail, thuirt e, 's chan fhac' e 'na shiubhal àit' eile cho math ri siud. Sin a thuirt e. 'S tha obair ann — seo a' rud — obair gu leòir, agus cothrom air airgiod.

'Bu chàra dhut a thighinn còmhla rium 's chan e fuireachd a-seo. Dé? Chan eil e gu feum dha duine sam bith fuireachd a-seo.'

A bhràthair fhéin. Coinneach Beag. Cha b'urrainn dha focal a radh ris; cha b'urrainn dha fiù's sealltainn ris.

An uair a bha e falbh rug iad air làimh a-chéile.

'Well,' thuirt e. 'Chì mi na h-uidhir dhan t-saoghal mhór co-dhiùbh.'

Agus fhuair esan air seòrsa de ghàire a dhèanamh ris mas do thionndaidh e air falbh.

Thug a mhàthair fad na h-oidhche sin 'ga chaoidh, Barabal a' gal. An oidhche sin bha sgread na faoileig aognaidh; tonnan na mara a' bualadh gu trom ri tràigh. Geamhradh mór nan clachan-meallain a bh'ann, an geamhradh a chuir ás dha Goromal agus dha Calum Bàn Léineabroc.

B'ann air geamhradh eile a bhàsaich a mhàthair. Cha robh a's an tigh ach an dithis — bha Barbal pòsd agus a dachaidh anns a' Bhaile Mhór. Bha fios aige nach robh a mhàthair gu math. Ged a bhiodh i fiachainn ri sin a chleith air — ag obair a-muigh 's a-stigh mar nach biodh càil ceàrr — bha fios aige-san ... bhiodh e 'ga cluinntinn troimh'n oidhche 's i air a cràidh, ag osnaich.

Mu-dheireadh rùnaich e gu ruigeadh e am baile , gu lorgadh e cuideigin a shealladh rithe, cuideigin 's dòcha a dhèanadh cobhair oirre. Bha i neònach a thaobh sin:

'Cha chuir thu dragh air duine air mo sgàth-sa,' chanadh i. Ach ruigeadh e am baile a dh'aindeoin sin. Agus thug e greis 'na leabaidh a' mhaduinn ud a' smaoineachadh air leisgeul math a dhèanadh e dhith.

An uair a dh'éirich e, mhothaich e cho sàmhach 's a bha an tigh. Chunnaic e nach robh an teine air a thogail. Agus an uairsin dh'aithnich e.

Thàinig Barabal, agus dh'fhuirich i fad seachdainn còmhla ris an deidh dhaibh a h-adhlaiceadh. Mar gum b'ann ann a suain, chuimhnich e air Barabal a' feasgar mu-dheireadh ud a bha iad còmhladh — thall anns a' bhaile, 'nan seasamh a' coimhead ris a' bhàta mhór a bheireadh air ais gu dachaidh fhéin i.

'Cha bhi cur na mara tighinn ort?'

'Bithidh ... uaireanan ...'

'Och woill ... chan fhairich thu bhi dol tarsuinn a-nochd. Seall cho ciùin 's a tha i ... dìreach man loch.'

'Tha.'

'Chan iarradh-tu oidhche na b'fheàrr. Eil thu smaoineachadh gun caidil thu?'

'Chan eil fois 'am.'

'B'fheàrrda-tu 'n cadal. Ged nach fhaigheadh-tu ach uair a thìde dheth — leth-uair a thìde ... saoilidh tu nach e 'n aon duine th'unnad as a dheidh ...'

'Choinnich ...'

' 'S cha chreid mi gum bi móran a' falbh oirre nochd — oidhche Mhàirt — cha bhì uair sam bith air oidhche Mhàirt, gu h-àraid ma 'n tìd'-sa bhliadhna — agus gheibh thu air do chasan a shìneadh. Nach fhaigh?'

Chum e air a' còmhradh, a' còmhradh agus a' foighneachd cheisdean dhith — an teaghlach: dé bhiodh 'ad a' dèanamh an dràsda? Dé bhiodh 'ad a' dèanamh an uair a ruigeadh i? Cuine ruigeadh i? Am biodh iad 'ga coinneachadh?

Ach cha do fhreagair i e. Bha i 'na h-éigean, gréim aice air a ghàirdean. Bha a corp air chrith.

'O Choinnich ...' agus thionndaidh i thuige, mar leanabh beag leis an eagal, a' gal.

'Sguir dheth,' thuirt e.

'Chan urrainn dhomh ...'

'Daoine 'ga do choimhead.'

'Chan urrainn dhomh leasachadh ...'

'Siuthad ma-tha ... béic mhór mhath ... ach na biodh i ro fhada ...'

Agus dìreach a réir a mhiann thainig a' ghal gu gàireachdainn. Bha na daoine a' dol air bòrd.

'Well ...'

' 'S fheàrr dhomh falbh.'

' 'S fheàrr.'

'Eil mi coimhead eagallach.'

'Tha. Diabhult fhéin.'

'Och isd a shàtuinn.'

'Greas ort a-nis ... tha thu coimhead math dha-rìreabh.'

'Thig thu shealltainn oirnn, nach tig?'

'Well ...'

'Cuimhnich a-nis. Agus thoir an aire ort fhéin.'

'Thusa cuideachd.'

'Mar sin leat ma-tha a Choinnich.'

'Mar sin leat.'

Dh'fhuirich e far an robh e gus na ghluais i air falbh a-mach á sealladh dhan a chuan fharsuing mhór.

Chuir e a làmh air a' chù.

"Chan aithnicheadh tusa idir 'ad a bhalaich," thuirt e. "Na daoin' ud, air am bi mise smaoineachadh a-chula latha ... Coinneach Beag is Barabal, m'athair 's mo mhàthair ... chan eil sgeul orra 'n diugh."

Thainig a' Sgudalair feasgar, a dh'iarraidh a bhainne. Bhruidhinn iad air an aimsir, air snéapan agus creagach, agus thug iad greis mhór sàmhach a' coimhead dha'n teine.

Dh'fhalbh e eadar dà fhras, a' feadalaich. Duine beag aincheardach, le chòta mór agus brogan-mòintich a sheanair. Sunndach a cheum a-mach Rathad nan Caorach, a' tilleadh gu Gil-a'-Chlamhain, agus gu Nellie a bha coibhneil còir.

Agus bha esan a-nis leis fhéin aig an tocasaid, pronnagan de mhìr cruaidh corc air stad 'na fhiaclan. Chaidh a' latha glé mhath leis gu dearbha ...

Bha a' ghaoth air a dhol sìos, an oidhche mhór a' tighinn ... Sheas e ann a sin ag éisdeachd ri fuam na mara, a' fuam sin a chuala feadhainn, uair dha robh saoghal, air an Dùn, ann a Léineabroc, agus am Buaile-na-Crois. Bhiodh solus na gealaich a-nochd air asnaichean an taighean ... agus air tobhtaichean na h-Airidh Ghlas, àiridhean Bhréitheascro, 's gach àiridh eile a bha ann. Agus bhiodh na lochan mar a bha iad a-riamh, na cniuc agus na glinn gun chaochladh, sàmhach ann a' solus na gealaich air an oidhche gheal rionnagach seo.

Ach bha iadsan beò. ... Agus bhiodh solus na lamp air a' Ghil, agus air Ard-nan-Claisean, greis bheag fhathast mas fhalbhadh iad-fhéin, a sgeulachd air a h-innse.

Cha do charaich e gus na dh'fhàs i glé dhorch.

Thainig crith fuachd air, agus dh'éigh e ri Teàrlach:

"Trobhad a bhalaich ... tha thìd' againn a dhol a-steach a-nis. 'S cuiridh sinn móine mu'n teine ... nach cuir? Cuiridh gu dearbha ... an geamhradh mór romhainn aon uair eile ..."

Agus chaidh iad a-steach, agus dhùin esan an dorus.